La femme parfaite est une connasse !

*Dans la même collection
aux Éditions J'ai lu*

ZÉRO POINTÉ
N° 10158

MES PARENTS FONT DES SMS
N° 10239

ANNE-SOPHIE
GIRARD

MARIE-ALDINE
GIRARD

La femme parfaite est une connasse !

Collection dirigée par Christophe Absi

*À maman, Daddy, les Woo girls
et tous ceux qui ont fait de nous les femmes
imparfaites que nous sommes.*

« L'important n'est pas ce qu'on fait de nous, mais ce que nous faisons nous-mêmes de ce qu'on a fait de nous. »

Jean-Paul Sartre

« Le succès, c'est d'aller d'échec en échec sans perdre son enthousiasme. »

Winston Churchill

Sommaire

Préface

Bonjour.

Je vais être directe : vous êtes très chanceuses d'avoir ce livre entre les mains, comme je suis très chanceuse d'avoir un soir rencontré les sœurs Girard.

C'était au Pranzo, un lieu de tous les possibles, la preuve : on y passait du ABBA.

Et un soir où j'y étais seule, on me tendit une main et cette main appartenait à Anne-Sophie qui me dit alors avec l'engouement d'une ado en crise : « Viens ! On fait une choré ! » Je ne connaissais pas cette fille, ni sa sœur jumelle Marie-Aldine que j'allais rencontrer l'instant d'après, mais dès lors, je ne les ai plus quittées.

Les jumelles Girard, par cet ouvrage, vont véritablement apporter quelque chose à la société. Car sous l'apparente légèreté de leur sommaire, c'est à l'essentiel que l'on touche ici. Parce que s'accepter imparfaite, c'est s'approcher de la plénitude.

C'est remercier toutes ces femmes qui ont lutté pour nos droits et prolonger leur œuvre avec audace et sincérité. C'est admettre qu'il y a parfois autant d'enjeux dans la rédaction d'un texto que dans celui d'un message de paix adressé au monde. Croyez-moi, ce livre est un premier pas vers une vie meilleure.

Et sinon, vous vous demandez peut-être qui je suis ? Personne en particulier, je suis juste une copine de Marie-Aldine et d'Anne-Sophie. Elles m'ont proposé d'écrire ce texte parce que j'étais jalouse de ne pas avoir pensé à écrire ce livre. D'ailleurs, une dernière chose qui ne s'y trouve pas, j'ai une formule magique pour vous. Si jamais ça ne va pas, si votre vie est aussi gaie que Brest sous la pluie, regardez-vous dans la glace, tendez-vous la main et dites : « Viens ! On fait une choré ! » Ça marche. Promis.

Christine Berrou

Avant-propos

Ce livre est un guide à l'usage de la femme imparfaite.

Cette femme que nous sommes toutes !

Une femme normale, avec ses défauts, ses travers et ses névroses (si, si... on peut parler de névroses !).

En effet, nous avons passé notre vie à vouloir ressembler à toutes ces femmes des magazines, celles des séries télé, des comédies romantiques ou tout simplement celles que nous croisons au quotidien et qui nous donnent le sentiment de TOUT réussir mieux que nous, qui nous font nous sentir nulles...

Et pourtant, on a fait tellement d'efforts !

Tellement de sacrifices, d'heures passées à essayer d'être meilleures... Et c'est bien là notre erreur, avoir voulu être « parfaites » !

Car sachez-le, **LA FEMME PARFAITE EST UNE CONNASSE**.

Ce livre a vocation à vous faire déculpabiliser !

Vous y trouverez ainsi des clés pour réussir votre imperfection.

(Et si ça pouvait aussi aider les hommes à mieux nous comprendre, ça ne serait pas du luxe !)

Vous ne vous reconnaîtrez peut-être pas dans tous les chapitres...

Mais vous vous reconnaîtrez, soyez-en sûres !

La femme parfaite est celle que nous ne serons jamais, et c'est tant mieux !

Règle n° 1

*On arrêtera
de montrer à notre
coiffeur
la photo d'une
mannequin blonde
aux cheveux bouclés
alors qu'on est
brune aux cheveux
filasse.*

La théorie du « foutu pour foutu... »

Comme chaque lundi, on se dit : « Bon, cette semaine, je fais attention ! »

Et puis ce matin au bureau, des pains au chocolat nous font de l'œil. **Et là, c'est le drame !**

Vous allez nous dire : « Un pain au chocolat c'est pas grave. » C'est vrai !

Mais c'est là que, dans notre esprit malade, se met en place la théorie du « foutu pour foutu » :

« Foutu pour foutu, je vais prendre un deuxième pain au chocolat ! »

« Je peux finir tes frites ?! Quoi ?! Ça va ! Foutu pour foutu... »

« Mince ! J'ai mis un sucre dans mon café ! Bon ben, foutu pour foutu, je vais commander un Banana Split* ! »

Dites-vous que la théorie du « foutu pour foutu » n'est pas votre ennemie ! Au contraire, elle vous aide à craquer de temps à autre sans trop culpabiliser. Et n'est-ce pas ça le plus important ?

---

* Cf. chapitre « On est toutes des boulimiques ! », p. 34.

La théorie du « foutu pour foutu » est déclinable à souhait

« Je vais arriver avec une heure de retard au travail…
Foutu pour foutu, je prends ma journée. »

« Je ne suis pas allée à la salle de sport cette semaine…
Foutu pour foutu, je ne vais plus y aller de l'année. »

« J'ai acheté une robe alors que j'ai pas de thunes…
Foutu pour foutu, je vais m'acheter des chaussures et le sac qui va avec. »

« J'ai regardé sur le téléphone de mon mec de qui était l'appel en absence…
Foutu pour foutu, je vais lire tous ses textos. »

« Je me suis cassé un ongle…
Foutu pour foutu, je vais me ronger tous les autres. »

« J'ai embrassé ce garçon…
Foutu pour foutu, je vais coucher avec lui. »

« Je viens de tirer une latte sur une cigarette…
Foutu pour foutu, je vais finir le paquet. »

« J'ai mis un texto pourri à ce garçon, il va me prendre pour une psychopathe…
Foutu pour foutu, je vais aussi lui laisser un message sur son répondeur et coller un Post-it sur sa porte d'entrée. »

« J'ai fait une télé-réalité…
Foutu pour foutu, je vais aussi poser à poil en couverture d'*Entrevue*. »

Jurisprudence de la frange

La vie d'une femme est rythmée par différentes étapes et le passage à l'âge adulte est le résultat de plusieurs rites initiatiques.

Le plus célèbre d'entre eux est connu sous le nom de

« RITE DE LA FRANGE »

Étape n°1 :

Découvrir dans un magazine que Kate Moss s'est fait une frange.

Étape n°2 :

Se munir de ciseaux et se diriger vers la salle de bains.

Étape n°3 :

Couper soi-même sa frange.

Étape n°4 :

Pleurer en découvrant le résultat.

Étape n°5 :

Engueuler son mec / sa sœur / sa meilleure amie : « Comment est-ce que vous avez pu me laisser faire ça ! »

Étape n°6 :

En faire un statut Facebook.

Note des auteurs :
Une urgence capillaire est classée « Urgence catégorie 1 ».

Règle n° 2

On ne fera plus croire qu'on est enceinte, juste pour avoir une place assise dans le bus.

Liste des chansons honteuses, mais qu'on aime quand même* !

- *Wannabe*, Spice Girls
- *Femme libérée*, Cookie Dingler
- *Dieu m'a donné la foi*, Ophélie Winter
- *Quand tu m'aimes*, Herbert Léonard
- *Fame*, Irene Cara
- *Je te survivrai*, Jean-Pierre François
- *La bonne franquette*, Herbert Pagani
- *Baby one more time*, Britney Spears
- *Toutes les femmes de ta vie*, L5
- *Le coup de soleil*, Richard Cocciante
- *The time of my life*, Dirty Dancing
- *Les brunes comptent pas pour des prunes*, Lio
- *Pour que tu m'aimes encore*, Céline Dion
- *Femme like you*, Kamaro
- *Tell me more*, Grease

Et la plus célèbre d'entre elles :
- *Tu m'oublieras*, Larusso

---

* Liste non exhaustive qui a suscité un débat houleux entre les auteurs. L'histoire jugera...

Règles à suivre lorsqu'on entend une de ces chansons

- Hurler : « J'adore cette chanson ! »
- **Lever le bras en criant : *« Wooo !! »***
- Monter sur une chaise / table / podium.
- **Appeler sa meilleure amie pour lui faire écouter en lui disant : *« Haaaaaaaa !!! Tu reconnais cette chanson*??!... »***
- Se tenir par la main en sautant frénétiquement.
- **Chanter très fort la fin des paroles de la chanson.**
- En faire un statut Facebook : *« Hhhaaaaa !! Viens d'entendre [titre de la chanson]. Trop coooooool !!! »*
- **Devant un miroir, se lancer dans un playback.**
- Aller voir le DJ pour lui dire qu'il assure trooooop !!!
- **Sauter dans les bras de sa meilleure copine, émue, parce que c'est « notre chanson ».**
- Entamer « notre fameuse choré » (préalablement répétée dans le salon d'une copine, qui inclut un « passage au sol » et/ou toute forme de « porté »).

---

* Une étude dont les résultats sont restés confidentiels révèle que « personne n'a jamais reconnu CETTE chanson ! ».

Le pot de départ de Michel

On a tous un collègue, que nous appellerons ici Michel (parce que c'est tout à fait un prénom de collègue ; d'ailleurs ne dit-on pas : « Tiens, je te présente mon collègue Michel » ?).

Eh bien, notre bon Michel prend enfin sa retraite...

Trucs et astuces pour son pot de départ :

- Faire la collecte soi-même, comme ça, personne ne saura que vous n'avez pas participé.
- Prendre les 30 euros de Sandrine, rajouter 5 euros et donner les 35 euros en disant : « C'est de la part de Sandrine et moi. »

Dans le même esprit :

- Pensez à faire des cadeaux d'anniversaire uniquement aux personnes susceptibles de vous en faire en retour.
- Au moment de l'addition au restaurant, prenez l'initiative de collecter l'argent des autres car si vous avez de la chance, avec les pourboires et ceux qui arrondissent, ça pourrait payer votre part !

Soyez vigilante ! Avec ceux qui oublient de payer le vin et les cafés, vous risquez de devoir payer beaucoup plus que prévu...

Comment savoir qu'on est « trop vieille pour ces conneries » ?

Parce que nos soirées ne ressemblent plus à ça :

- Faire la fête le vendredi ET le samedi.
- **S'habiller comme une « professionnelle* » pour sortir en boîte.**
- Faire un mélange « Whisky Coca » dans une bouteille en plastique, « pour la route ».
- **Faire l'apéro sur le parking de la boîte de nuit.**
- Mourir de froid pour ne pas avoir à payer le vestiaire.
- **Assister à un concert de rap « dans la fosse ».**
- Assister à un concert de rap (tout court).
- **Monter sur le bar en boîte.**
- Faire un concours de bière.
- **Boire une 8,6° ou toute autre bière peu onéreuse (et tiède de préférence).**
- Finir les verres des autres dans un bar parce qu'on n'a pas de quoi s'offrir une téquila Paf.
- **Tomber amoureuse d'un G.O.**
- Attendre 5h30 du matin et les premiers bus pour rentrer chez soi.
- **Se faire une « boulimie » en rentrant de soirée (sans prendre un gramme).**
- Dormir par terre chez un pote.
- **Dormir dans la voiture.**
- Faire « nuit blanche ».

---

* Professionnelle = pute

Le barème Silverdrake

Il existe une hiérarchie dans le genre humain.

Un barème très simple a donc été mis au point afin de se situer et de situer l'autre sur cette échelle (qui est graduée de 1 à 10).

Si on ne parvient pas à dater précisément la création de ce barème, on retrouve des traces de son existence jusque dans la deuxième partie de l'ère glacière.

Un peu d'histoire...

On retrouve parfois ce barème sous le nom de « *Barème Silverdrake* » ou « *Jurisprudence Silverdrake* ».

Selon la légende, Bobby Silverdrake, un jeune fermier du Minnesota, dépourvu de charme naturel (un « 5 »), épousa la belle Kelly Newman (un « 9 », élue reine du bal de promo 1961).

En effet, lors de l'été 1962 (un été caniculaire), Bobby sauva la vie de "Piggy", le cochon des Newman, alors que celui-ci se noyait dans la mare...

Aux yeux de tous, Bobby était devenu un héros ! Un « 8 » était né !

Personne ne peut dire si cette légende est vraie, mais toujours est-il que l'espoir était né pour tous les « 5 » du monde.

• Comportez-vous toujours comme le chiffre que vous visez et non pas comme celui que vous êtes censée être. Si vous êtes un 6, comportez-vous comme un 7 !

• Mais ne perdez jamais de vue que rien n'est gravé dans la pierre et que votre note évolue constamment ! Souvenez-vous de Bobby Silverdrake...

Quel chiffre êtes-vous
sur une échelle de 1 à 10 ?

Il est toujours très difficile de se juger. Alors pour vous aider à vous attribuer une note, n'hésitez pas à demander l'avis de votre entourage :

« Si tu devais me donner une note sur 10, combien tu me mettrais* ? »

Comment calculer ?

Note que l'on s'attribue

+ Note que votre entourage vous attribue

Divisé par 2

=

Note réelle

Quelques règles de base :

- Un 6 peu sortir avec un 5 ou +.
- Si un 6 sort avec un 8, il devient automatiquement un 7 (moyenne de notre note et de celle de notre conjoint).
- La réciproque est vraie : un 9 qui sort avec un 7 devient automatiquement un 8.
- Un bon 5 vaut parfois mieux qu'un mauvais 6.
- Un 6 peut facilement devenir un 7 sous un bon éclairage (et inversement).

---

* Attention, la réponse peut être très violente pour quelqu'un qui n'est pas préparé ! Apprendre que nos amis nous voient comme un 2 alors qu'on pensait être un 8 peut être très traumatisant.

La femme parfaite
sait recevoir

Quand elle reçoit, la femme parfaite cuisine toute la journée. Elle met les petits plats dans les grands et son intérieur semble tout droit sorti de Wisteria Lane.

À l'inverse, quand on reçoit, on ne cesse de répéter : « Faites pas gaffe au bordel ! »

D'ailleurs, on n'a jamais deux verres identiques (il faut choisir entre Goldorak et Boule et Bill), et on n'a rien prévu à manger parce que « Manger, c'est tricher ! ».

**Et même si on appelle ça
« à la bonne franquette », ne perdons pas
de vue que la femme parfaite est là
pour nous juger !**

Phrases de connasses

« C'est sympa les petits appartements ! Tu vois, par rapport à mon loft, c'est plus cosy ! »

C'est surtout moins cher !

« Oh, je vois que tu as apporté du champagne ! Du vin mousseux ? Oui, ben c'est l'intention qui compte... »

Si j'avais su, je serais venue avec une bouteille de villageoise.

« Mais, tu plaisantes ! C'est largement suffisant du surimi ! J'aime bien manger léger le soir. »

Oui, la femme parfaite est polie.

« Je soupçonne Véronique de ne pas avoir fait son tarama elle-même. Je lui enlève donc deux points ! »

Oui, la femme parfaite oublie souvent qu'elle n'est pas dans l'émission « Un dîner presque parfait ».

« J'ai fait poser du lino, ça t'embête d'utiliser les patins ? »

No comment.

Règle n° 3

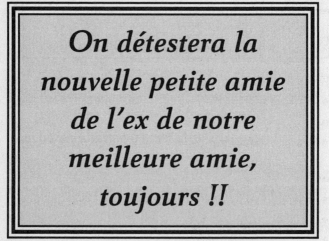

On détestera la nouvelle petite amie de l'ex de notre meilleure amie, toujours !!

Des vacances pourries...

Nous avons tous l'impression que les autres passent des vacances géniales, dans des endroits paradisiaques, avec des gens super.

FAUX !

Tout le monde a passé, passe ou passera un jour
« DES VACANCES DE MERDE »

Exemples :
- Stage d'initiation au rire
- Trekking dans le Lot
- Partage d'un bungalow avec notre collègue Michel (Cf. p.26)
- Center Park en solitaire
- Visite des gorges du Tarn sous la pluie
- 3 jours dans un relais routier
- Circuit : visite de Roubaix et de sa zone industrielle

Phrases de connasses :

« Je pense que si tu ne dors pas chez l'habitant, tu n'as pas vraiment vu le pays. »

« C'est marrant, t'as pas bronzé ! »

« Tu es allée en Thaïlande un mois et tu ne parles pas couramment thaïlandais ?! »

On est toutes des boulimiques !

Lors d'un régime, « la bête » qui sommeille en nous est capable de sortir dans le froid, en pyjama, et de faire un kilomètre à pied en quête d'un morceau de fromage ou d'une tablette de chocolat.

Sachant cela, vous jetez la fin du gâteau au chocolat pour éviter de grignoter.

ERREUR !

Le jeter à la poubelle ne suffit pas. Vous devez impérativement sortir la poubelle !

Combien de nos sœurs de régime sont allées jusqu'à récupérer le gâteau au fond de la poubelle !!

N.B. : Vous avez la possibilité de mettre de l'eau de Javel sur ladite tentation, ce qui la rendra impropre à la consommation. (À l'instar du personnage de Miranda dans un épisode de *Sex and the City*, qui déverse du liquide vaisselle sur un gâteau au chocolat.)

La théorie du pot de cacahuètes

Lors de l'apéritif, le pot de cacahuètes doit impérativement être disposé à une distance de plus de 80 cm, afin d'éviter toute tentation !

Plan de table

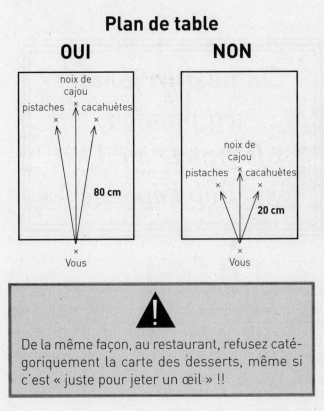

De la même façon, au restaurant, refusez catégoriquement la carte des desserts, même si c'est « juste pour jeter un œil » !!

Règle n° 4

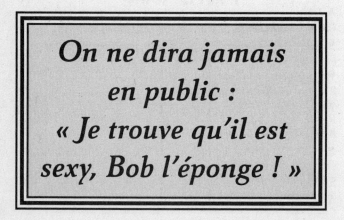

*On ne dira jamais
en public :
« Je trouve qu'il est
sexy, Bob l'éponge ! »*

Cette vendeuse est une connasse !

● Quand on demande une taille 40 et qu'elle ose répondre : *« Han nan, désolée, les grandes tailles sont parties tout de suite. »*

● Quand cette vendeuse, habillée comme un sac, ose nous dire, en parlant d'un manteau sur lequel on a craqué : *« Je me suis pris le même ! »*

● Quand elle nous dit : *« Il ne reste plus que les tailles 32 ou 34. »*

● Quand elle nous annonce que la promotion n'est plus valide depuis ce matin.

● Quand elle refuse de reprendre un article parce qu'on a coupé l'étiquette.

● Quand elle nous regarde avec un air de défi lorsqu'elle nous annonce que *« la version cuir est beaucoup plus chère »*.

● Quand elle nous ferme la porte au nez, alors qu'on vient de traverser la ville en courant, parce que *« 19h c'est 19h ! »*.

● Quand elle nous fait bien comprendre qu'on n'est pas à notre place dans une boutique de luxe*.

● Quand on demande en pointure 41 et qu'elle nous dit : *« Han nan, désolée, il s'agit d'un modèle pour femme. »*

● Quand elle est canon dans l'article qu'on vient d'essayer et dans lequel on ressemble à René la taupe.

Dans ces cas-là, on se dit que cette vendeuse, C'EST VRAIMENT UNE CONNASSE !

---

* Cf. Jurisprudence *Pretty Woman*.

Photographie :
les figures imposées

Lors d'une prise de vue, il existe certaines « figures » que nous maîtrisons toutes ; il est bon cependant d'effectuer un petit rappel :

 Les conseillées :

- Le clin d'œil
- Le bras en l'air
- Le bisou

Les interdites :

- Le pouce levé
- Le V de la victoire
- Les oreilles de lapin
- Tout geste grossier ou à connotation sexuelle

> **⚠ L'harmonie d'une photo de groupe tient à l'homogénéité d'un groupe, alors :**
> **PAS D'INITIATIVE PERSONNELLE !**
>
> • Pensez à vous mettre tous d'accord en amont. Une grimace ridicule sur une photo de groupe « glamour » et c'est le drame !
>
> • Ne posez jamais sur une photo de groupe en maillot de bain s'il n'y a pas au moins une fille plus ronde que vous !
>
> • Lors de la validation de la photo par le groupe, pensez à regarder aussi les autres ! Il est très mal venu de s'exclamer : « Elle est super !! » alors que vous êtes la seule à ne pas fermer les yeux.

Comment être toujours canon
sur les photos

Il existe d'autres techniques moins connues mais que la femme parfaite, elle, maîtrise à merveille :

La « Mariah Carey »

La technique dite «Mariah Carey» est aussi appelée la « technique du bras ».

Quand vous posez devant un objectif, placez impérativement votre main sur la hanche, le coude vers l'arrière.

Ainsi, votre bras paraîtra beaucoup plus fin.

La « Karl Lagerfeld »

La technique dite « Karl Lagerfeld » est celle qui consiste à coller sa langue au palais lors de la prise de vue. Le résultat est discret, mais il permet d'éviter l'effet « double menton ».

La « cuisse écrasée »

Enfin, la « cuisse écrasée » porte bien son nom puisqu'elle consiste à éviter d'avoir les cuisses écrasées sur les photos (quand on est assise), en surélevant légèrement la jambe.

> N.B. Vous conviendrez qu'en rendant publiques ces précieuses indications, les auteurs font preuve d'un immense acte de générosité, mais aussi de confiance.
>
> Alors soyez-en dignes !

Comment savoir qu'on a une vie de merde ?

- On mange seule devant un miroir.
- **On fête l'anniversaire de son chat.**
- On a eu un seul texto pour le Nouvel An, celui de notre opérateur téléphonique.
- **On connaît tous les noms des préfectures et sous-préfectures de France.**
- Notre seul pote sur MySpace, c'est TOM.
- **On est encore sur MySpace.**
- On est super contente quand « Motus » commence.
- **On a noté sur notre agenda : « Dimanche : décongeler le freezer ».**
- On a la collection des « pin's parlants » TF1.
- **On a une peluche Footix accrochée à son rétroviseur.**
- On a acheté l'intégrale de la série *Walker, Texas Ranger*.
- **On s'entraîne pour battre un record (n'importe lequel).**
- Les enfants du quartier nous appellent « La folle aux chats ».
- **Notre fille nous appelle « Madame » en public.**
- Notre chien marche toujours 3 mètres derrière nous.
- **Notre collègue depuis 6 ans nous a demandé : « Vous travaillez ici ? »**

Règle n° 5

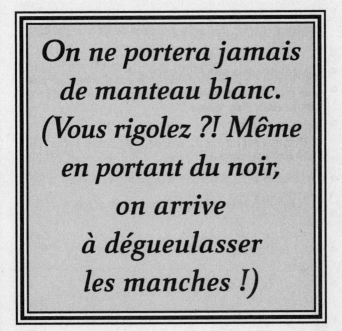

On ne portera jamais de manteau blanc. (Vous rigolez ?! Même en portant du noir, on arrive à dégueulasser les manches !)

Comment garder sa dignité quand on est complètement bourrée ?

Combien de soirées arrosées, d'apéros, d'anniversaires où, sans trop s'en apercevoir, vous avez basculé « de l'autre côté » ? Vous devez vous rendre à l'évidence :

VOUS ÊTES COMPLÈTEMENT BOURRÉE !

Règle n° 1 :

Évitez de parler trop près des gens ou de leur souffler au visage...

Règle n° 2 :

Votre sens de l'équilibre étant mis à mal, n'oubliez pas que tout accessoire de maintien est susceptible d'être utilisé : bar, mur, videur...

Règle n° 3 :

Évitez de répéter : « J'chuis bourrée !! Hey ! Hey ! Je suis trop bourrée ! »

(Dites-vous que ce n'est pas la peine de le dire, ça se voit !)

Les différentes étapes d'une soirée arrosée

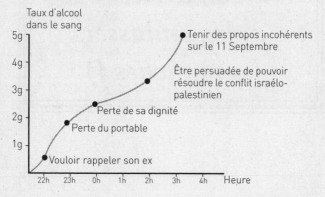

TEST : Alcool.
Quelle buveuse êtes-vous ?

(Test réservé aux gens qui boivent*****)

Vous buvez de l'alcool :

A. Uniquement le soir de la Saint-Sylvestre

B. Parfois le week-end

C. Uniquement les jours finissant par un *i*

Vous commandez :

A. Un kir framboise

B. Un TGV : Tequila, Gin, Vodka

C. Peu importe, de toute façon vous êtes déjà bourrée

Il vous arrive :

A. D'être pompette

B. D'être saoule

C. De vous réveiller seule, dans une chambre de motel sordide, avec un tee-shirt sur lequel est écrit : « *Welcome in Minnesota* »

Résultat : Peu importe, c'était juste pour faire un test. C'était aussi l'occasion pour nous de placer le mot « pompette » et « Minnesota » dans ce livre.

---

* Comme une grande partie du contenu de ce livre.

Je suis balaaaadeeee !

Belle, fraîche, le bout du nez à peine rouge... Quand elle est malade, la femme parfaite sait rester digne. On l'imagine dans son joli pyjama avec ses grosses chaussettes en laine, se soignant exclusivement de tisanes.

Nous, nez en patate, yeux de teckel atteint de myxomatose et cet air sur le visage qui semble dire : « Achevez-moi ! »

On est balaaaaade et ça se voit !

 Une hypocondriaque sommeille en chacune de nous.

« Quoi ?! Bien sûr que ça existe un cancer du coude !! »

« Pour Noël, je vais m'offrir une IRM. »

« On va encore dire que j'en fais trop mais je reste persuadée d'avoir fait une rupture d'anévrisme hier. »

Règle n° 6

On ne commencera plus nos phrases par :
« Alors, j'étais complètement bourrée et... »

Des chaussures
pour rester assises

On aime, on adooore les chaussures à talons !

Le problème, c'est que ce n'est pas réciproque !

Mais comment les femmes parfaites font-elles pour garder leurs talons toute la soirée ? Alors que nous, au bout de 2 heures, nos orteils ressemblent à des petites saucisses cocktail…

« Je m'y sens comme dans des pantoufles ! »

MENTEUSES !

On balance !

- Même les Louboutins font mal aux pieds !
- On ne nous fera pas croire que Victoria Beckham n'a pas les pieds pourris, déformés à force de porter des talons de 12 cm (oignons, œil-de-perdrix…).
- Les filles qui sont à l'aise avec des hauts talons mesurent obligatoirement moins d'1,60 m* !

---

* Toutes les femmes qui mesurent entre 1,55 m et 1,59 m mais qui ont noté 1,60 m sur leur carte d'identité.

Mais qui peut encore supporter des talons à 3 heures du matin ?

Plus la soirée passe, plus il devient impossible de tenir sur des talons hauts !

Qui sont ces femmes qui les gardent jusqu'au bout de la nuit ?

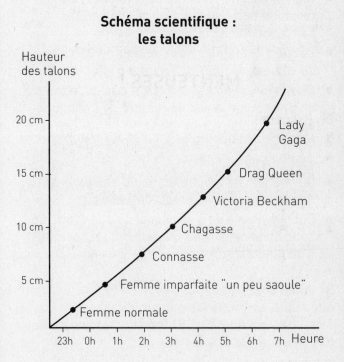

**Schéma scientifique :
les talons**

Hauteur des talons

20 cm — Lady Gaga

15 cm — Drag Queen

Victoria Beckham

10 cm — Chagasse

Connasse

5 cm — Femme imparfaite "un peu saoule"

Femme normale

23h 0h 1h 2h 3h 4h 5h 6h 7h Heure

Jalousie entre filles

Être jalouses entre copines, c'est humain.

On ne va pas se mentir... **Si vous n'avez jamais été jalouse, ce n'est pas normal, et si vous l'êtes, rassurez-vous, une autre l'est aussi de vous...**

- Qui n'a pas été contente de constater, en revenant de vacances, que sa copine était beaucoup moins bronzée qu'elle ?
- Qui ne s'est jamais mise au régime parce que sa copine avait réussi à perdre 5 kilos ?
- Quelle fille célibataire ne s'est pas dit, alors qu'une copine venait de rompre : « Enfin, une autre célibataire avec qui sortir ! »
- Qui n'a pas été fière d'être préférée par un garçon à sa copine ?
- Qui n'a jamais étouffé un rictus en apprenant qu'une copine avait grossi de 3 kilos ?
- Qui n'a jamais dit à sa copine qu'elle était trop belle dans cette robe, alors qu'elle ressemblait à un petit goret ?

Si vous avez répondu « *Moi !* » à toutes ces questions, soit vous êtes une menteuse, soit vous êtes une « connasse »... Et franchement on ne sait pas ce qui est le pire !

Comment choisir sa photo de profil sur Facebook ?

Gardez à l'esprit qu'il s'agit de la première image que les gens que vous n'avez pas vus depuis 15 ans auront de vous. Son choix est donc hautement stratégique*.

Privilégiez un portrait faussement mystérieux et passablement sexy et qui semble signifier :

« Regarde-moi, le monde ! Je suis une femme libre et épanouie ! »

 Photos à éviter :

- Une photo en maillot, ce qui équivaut à avoir écrit sur votre front : « Fille de petite vertu ».
- Une photo avec son mec, sauf si c'est vraiment un canon !
- Une photo avec son chat, surtout si celui-ci est mort...

> ⚠ Pensez à ne pas mettre une photo « trop canon » de vous, il faut que ça reste crédible ! Vous éviterez alors toute déception lors d'une future rencontre.

---

* Cf. chapitre « Comment être toujours canon sur les photos ? », p. 39.

Quand elles chantent en anglais, elles connaissent les paroles, elles !

Que celle qui n'a jamais scandé « *Fust awat afrai-dawil prétufried** ! » nous jette la première pierre !

Alors oui, c'est vrai qu'on chante « en yaourt** » mais l'important n'est-il pas de connaître la fin de la phrase ?

> « *Lalalala... I was petrified...*
>
> *lalalalalalalala... By my side...* »

Il est primordial de prendre un air convaincu et inspiré !

Ne doutez jamais ! Lancez-vous et ne perdez pas de vue qu'il y a de fortes chances pour que les gens autour de vous ne connaissent pas les paroles non plus.

 Évitez de le faire dans des pays anglophones, vous serez tout de suite repérée et ça peut être très humiliant pour vous ou pour votre entourage.

---

* Pardon, Gloria Gaynor.

** D'après M. Wikipédia : « Chanter en yaourt est une technique qui consiste à chanter en produisant des sons, des onomatopées, des syllabes qui font penser qu'il s'agit d'une langue réelle. »

Nous, même en français, on a du mal

Quand on chante, les paroles restent parfois très approximatives.

Ainsi :

La Salsa du Démon est devenue **La Salsa Di lebo**

Esteban, Zia, Tao, les cités d'or est devenu **Esteban cria : Whaou ! Les cités d'or !**

Lalala... Je vais à Rio est devenu **Lalala... Je baise en riant**

C'est mon fils, ma bataille est devenu **C'est mon fils, Mamataye** (ce serait le nom du fils « Mamataye » ?)

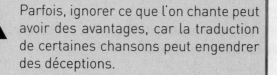

Parfois, ignorer ce que l'on chante peut avoir des avantages, car la traduction de certaines chansons peut engendrer des déceptions.

SEX MACHINE / James Brown

« *Get up, Get on up, Get up, Get on up, Stay on the scene, Get on up, like a sex machine, Get on up.* »

« Lève-toi, monte dessus, Lève-toi, monte dessus, Va sur la scène, monte dessus, comme une machine à sexe, monte dessus. »

Le jean test

On a toutes dans notre placard un jean de référence.

Un jean qu'on réessaye de temps en temps pour vérifier qu'on n'a pas trop grossi et qu'on appelle sobrement :

« Le jean test* »

Quelle joie intense ! Quelle victoire lorsqu'on arrive à fermer notre vieux 501 !!

Mais parfois le test échoue et là, c'est le drame !

Parce que, soyons honnête, la dernière fois qu'on a pu le porter en public, on sortait d'une gastro.

Phrases à se répéter pour se remonter le moral en cas d'échec :

« C'est normal ! C'est l'été, avec la chaleur on fait de la rétention d'eau. »

Ou, selon la saison :

« C'est normal, on a toujours 3 kilos en trop l'hiver. »

Et si jamais vous n'arrivez même pas à y rentrer une cuisse, dites-vous que :

« On s'en fout ! D'ailleurs plus personne ne porte de 501 aujourd'hui !! »

---

* Est considéré comme « jean test » tout jean que nous avons porté au moins une fois. Est donc exclu le jean qu'on achète pour « quand on aura perdu nos 3 kilos » !

Règle n° 7

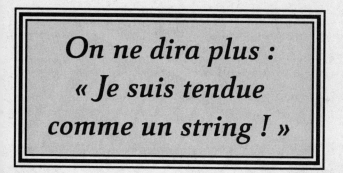

On ne dira plus :
« *Je suis tendue*
comme un string ! »

Je suis une princesse
et une princesse, ça fait pas caca

* Pour les plus déçues, vous pouvez vous référer au chapitre intitulé « Qui c'est qu'a pété ? », p. 94.

Comment réagir
devant un bébé laid ?

Contrairement à l'idée communément répandue, tous les enfants ne sont pas beaux. Certains sont même franchement moches !

Alors un conseil, évitez de trop en dire !

> Exemple :
> <u>Arrêtez-vous là</u> : « *Qu'il est souriant !* »
> <u>N'ajoutez pas</u> : **« Mais c'est normal tous ces poils ? »**

« *Alors là, impossible de dire s'il ressemble à son père ou à sa mère.* »
> **« Ça y est, j'ai trouvé. À rien ! Il ressemble à rien ! »**

« *En tout cas, le personnel hospitalier à l'air très bien.* »
> **« Avec un peu de chance, ils l'ont échangé et vous allez bientôt retrouver le vôtre. »**

« *Il est... chou.* »
> **« L'important c'est qu'il soit beau une fois adulte. »**

« *Il est... éveillé.* »
> **« Parce qu'il va devoir développer d'autres qualités... comme l'humour, par exemple. »**

Elles réussissent à ne pas faire mourir leurs plantes vertes

… Alors que nous n'avons toujours pas compris s'il fallait ou pas arroser un cactus*****.
La femme parfaite, elle, a la main verte !

Il est vrai que nous sommes capables d'acheter du basilic le 1er mai en croyant que c'est du muguet… mais nous avons compris que choisir de belles plantes en plastique pouvait amplement suffire.

Petit message personnel destiné au fleuriste de la rue Chaptal, à Montpellier :

« Cette plante ne nécessite que très peu d'entretien » est un mensonge éhonté !!

Ou alors :

Si une plante ne nécessite que très peu d'entretien, c'est parce qu'elle meurt très vite !

---

* D'ailleurs, ce n'est pas dans ce livre que vous trouverez la réponse à cette question.

Règle n° 8

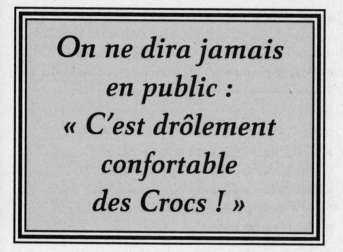

*On ne dira jamais
en public :
« C'est drôlement
confortable
des Crocs ! »*

Les hontes inavouées

Ce livre a pour vocation, vous l'aurez compris, de nous faire déculpabiliser !

Car non, vous n'êtes pas les seules à :

- **Ne pas s'épiler les jambes,** lors d'un premier rendez-vous, pour ne pas céder à la tentation.
- **Se remaquiller légèrement** (après s'être démaquillées) avant de se mettre au lit avec son chéri. (Première semaine de relation, bien sûr !)
- **Porter plainte** pour vol de scooter parce qu'on ne se rappelle plus où on l'a garé.

Dans la liste des hontes inavouées, on trouve une sous-catégorie qu'on appellera « erreurs de jeunesse » :

- **Prise de risque capillaire** (couleur de cheveux, coupes, permanentes, etc.)
- **Sourcils rasés** pour faire rappeur (période « Kriss Kross »)
- **Tatouage artisanal** (à l'aide d'un compas et d'une cartouche d'encre)
- **Tout quitter** pour suivre la tournée des World's Appart
- **Oreille percée** (ou autre partie de notre anatomie) avec une aiguille et un glaçon
- **Menace de suicide** lors de la mort de Kurt Cobain (« *Je veux rejoindre Kurt !!* »)

Vos hontes inavouées
(à remplir soi-même)

Vos hontes inavouées

- ....
- ....
- ....
- ....
- ....
- ....
- ....
- ....
- ....

Erreurs de jeunesse

- ....
- ....
- ....
- ....
- ....
- ....
- ....
- ....
- ....
- ....

La théorie du « vernis écaillé »

Un des mystères de l'univers réside dans le fait que la femme parfaite a TOUJOURS un vernis à ongle IMPECCABLE.
Comment est-ce possible ?
Comment fait-elle ?
(Alors que nous, on a l'impression de le poser déjà écaillé !)

Témoignages :

Laure : *« Une fois, j'avais tellement honte de l'état de mes ongles que j'ai dit à mes collègues que c'était ma fille de 7 ans qui m'avait posé le vernis. »*

Prunes : *« Moi, je me peins les doigts et je passe du dissolvant tout autour de l'ongle pour enlever le surplus. »*

Phrases de connasses :

« Excuse-moi pour mon vernis, j'ai honte ! Ça fait tellement négligée ! »
On ne voit même pas de quoi elle parle.

« J'ai un souci avec l'ongle de mon index gauche, il faut absolument que je passe chez la manucure cette semaine. »
Mais pourquoi ? Coupe-le avec les dents !

« J'ai une amie prothésiste ongulaire, si je lui passe un coup de fil, elle pourra peut-être te prendre en urgence entre deux patients ! »
No comment.

Comment se comporter avec la nouvelle femme de son ex ?

Les auteurs s'excusent, elles n'ont toujours pas trouvé de réponse à cette question.
ALORS, FAITES COMME VOUS POUVEZ* !!

---

* De toute façon, quoi que vous fassiez, vous ne l'aimerez pas, elle ne vous aimera pas.

Chagasse / Pas chagasse

Chagasse : Nom féminin désignant une fille ayant pour vocation d'inspirer le sexe.
Les hommes en sont très friands même s'ils ne l'avouent pas en public et préfèrent déclarer les trouver « vulgaires ».

Note des auteurs : Il est permis d'emprunter quelques accessoires à la chagasse (surtout en période estivale) mais ceci doit être fait avec parcimonie.

Chaque région de France possède sa propre chagasse. Elles portent des noms différents selon leur origine géographique, par exemple :

Région Paca : **la cagolle**

Région Languedoc : **la piche / la pichette**

Région Nord : **la tchiotte nénette**

 Ne négligez pas la chagasse qui est en vous, elle pourrait un jour s'avérer très utile !

Quelle chagasse êtes-vous ?

Cochez les cases ci-dessous, si vous avez :

☐ Une french manucure

☐ De faux seins

☐ Un chien de moins de 50 cm

☐ Une jupe de moins de 50 cm

☐ Un tatouage en bas des reins

☐ Une toute petite voiture

☐ Un diamant sur le nombril / ongle / dent

☐ Un mec stripteaseur

☐ Des rajouts capillaires... Et ça se voit !

☐ Vous trouvez Pamela Anderson « très distinguée ! »

☐ Vous fumez des cigarettes Vogue

☐ Vous savez vous servir d'une barre de « pole dance »

☐ Vous mettez du contour à lèvres foncé avec un rouge à lèvres clair

☐ Vous pensez que « bonne » est un compliment dans la bouche d'un garçon

☐ Vous avez changé votre prénom pour un prénom finissant par un A ou à consonance américaine

☐ Vous avez fait / voulu faire une télé-réalité

<u>Résultat</u> :

● Vous avez coché plus de 6 cases : **vous êtes du Sud**.
● Vous avez coché plus de 10 cases : **vous êtes américaine**.
● Vous avez coché plus de 12 cases : **vous êtes Pamela Anderson**.

Nuit gravement à la santé

La femme parfaite ne fume pas et nous ne pouvons que l'en féliciter !

Mais pourquoi se sent-elle investie de la mission d'empêcher les autres de le faire ?

Phrases de connasses :

« C'est très mauvais pour la santé tu sais ? »

« Hum hum hum » *(toux de connasse)*

« Tu as essayé l'hypnose ? »

« Tu as conscience que, quelque part, tu es dans l'autodestruction... »

Geste de connasse :

Ce geste consiste à repousser négligemment la fumée de votre cigarette, avec un air outrancier de gêne, voire de dégoût.

> D'ailleurs, lorsqu'elle reçoit, la femme parfaite interdit la cigarette à ses convives.
>
> Par conséquent, même si la fête était top, les invités ne parleront de la soirée qu'en ces termes : « C'était nul, on ne pouvait même pas fumer ! »

Règle n° 9

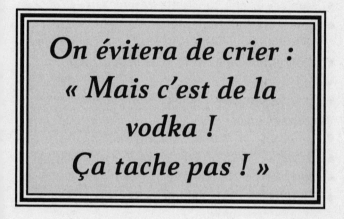

*On évitera de crier :
« Mais c'est de la
vodka !
Ça tache pas ! »*

Liste des choses interdites
en discothèque

- Utiliser le terme **« discothèque »**.
- Monter sur le bar *(réservé aux −20 ans).*
- Monter sur le podium *(réservé aux −30 ans).*
- Monter sur une banquette *(réservé aux −40 ans).*
- Embrasser goulûment un mec *(réservé aux −20 ans).*
- Embrasser goulûment le DJ *(réservé aux −30 ans).*
- Embrasser goulûment le videur *(réservé aux −40 ans).*
- S'asseoir sur la lunette des toilettes.
- Demander à ce qu'on baisse un peu le son.
- Sortir un bon bouquin.
- Aller féliciter le **« disque jockey »** pour son excellente sélection.
- Demander au videur de **« jeter un coup d'œil sur sa Punto, elle est garée juste à l'angle »**.
- Sortir des toilettes en criant : **« N'entrez pas, j'ai vomi ! »**
- Sortir des toilettes en criant : **« N'entrez pas, j'ai fait caca ! »**

C'est moi qui l'ai fait !

La femme parfaite cuisine !

Mais elle cuisine vraiment... Par exemple, elle fait ses nems elle-même !

Alors la première question qu'on est en droit de se poser est :

« Pourquoi ?! »

C'est vrai, ça fait limite radin. Pourquoi fait-elle des nems ? Qu'elle les achète ! C'est mieux !

Témoignage :

Lucile : **« Moi j'ai fait réchauffer une tortilla sous vide une fois... J'étais tellement émue que j'ai pris une photo pour l'envoyer à la famille. Chez ma grand-mère, sur la cheminée, il y a une photo de moi à côté d'une tortilla. »**

Phrases de connasses :

« Pour le dessert, j'avais pensé à une crème pâtissière agrémentée d'une gousse de vanille. »

Ouais, une Danette quoi !

« Je fais ma charcuterie moi-même. »

???

« Je peux te faire un Parmentier de cailles sur le pouce. »

Alors, rappelez-nous la définition de « sur le pouce ».

« Ce n'est vraiment pas compliqué, il suffit de suivre la recette. »

No comment.

La théorie de la Scarlett Johansson

Il existe une théorie dite de la Scarlett Johansson**.
Ou comment un petit cochon a fait croire au monde entier qu'elle était une bombe sexuelle !
En se comportant comme telle.

Nous avons conscience que nous dévoilons ici une des plus grosses escroqueries de l'histoire.

Finalement, elle n'a rien d'exceptionnel, la Scarlett ! Elle a des formes, de la cellulite… (Comme nous quoi !) Soyons honnêtes, les hommes ne se retourneraient pas sur elle s'ils la croisaient dans la rue.

Et pourtant, en se comportant comme un objet de fantasme, elle l'est devenue pour la plupart des hommes.

La leçon à en tirer est simple :
SI VOUS VOUS COMPORTEZ COMME UN CANON, ON VOUS VERRA COMME UN CANON !
(Et inversement…)

---

* Théorie inventée par les auteurs.

Règle n° 10

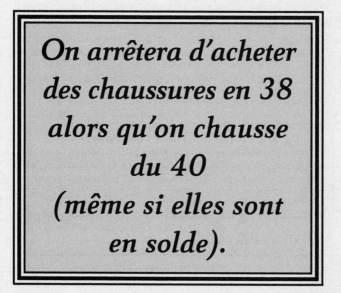

On arrêtera d'acheter
des chaussures en 38
alors qu'on chausse
du 40
(même si elles sont
en solde).

C'est pas au vieux singe
qu'on apprend à faire la pluie

La femme parfaite maîtrise remarquablement bien la langue française et se permet donc de nous reprendre.
« On ne dit pas "Par contre", on dit "En revanche". »

Elle nous reprend également sur notre orthographe.
(Affront classé n° 1 dans la liste des affronts.)

Eh bien, à notre tour de la reprendre. (Oui, on est un peu pestes.)
Nous avons décidé de lever le voile sur l'une des plus grandes interrogations de notre siècle :

Doit-on dire « EN Avignon » ou « À Avignon » ?
On apprend sur le site Avignon.fr :
« La formule "en Avignon", si elle permet d'éviter un hiatus quelque peu dissonant, est toutefois incorrecte lorsqu'elle s'applique à la ville contenue dans ses limites communales. Son emploi dans ce cas est souvent le fait de l'ignorance ou d'un certain pédantisme basé parfois sur des nostalgies d'Ancien Régime. »

Nous sommes conscientes qu'ils auraient pu le dire plus simplement...
Alors, pour résumer :

QUI DIT "EN AVIGNON"

A L'AIR D'UN CON !

Quelques expressions (presque) françaises

Les femmes normales emploient parfois des expressions bizarres.
Spéciale dédicace à Coco* car elle est à l'origine d'un grand nombre des expressions suivantes :

« Rien que d'en parler, j'en ai la chair à saucisse. »

« Ça casse pas trois pattes et un canard. »

« Elle s'est fait virer comme mouche qui pique. »

« Je prends sur moi, je moule mon cake. »

« C'est la rencontre du treizième type. »

« C'est comme péter dans un entonnoir. »

« Elle m'a planté un trombone dans le dos ! »

« La bite ne fait pas le moine. »

« C'est la cerise qui fait déborder le vase. »

« J'ai plusieurs casquettes à mon arc. »

« Il faut attraper le taureau par les couilles. »

« Mettre du vin dans les épinards. »

« J'ai eu le ventre plus gros que les yeux. »

« Il a le cul bordé de coquillettes. »

« Un tiens vaut mieux que deux. »

---

* Le prénom a été changé par respect pour Audrey et son entourage.

Qui arrive à manger 5 fruits et légumes par jour ?

Sérieusement ! Seule la femme parfaite peut respecter cette règle !
Elle mange BIO, est souvent végétarienne et va même jusqu'à se nourrir exclusivement de graines. Mais si seulement elle ne se donnait pas comme mission de nous sauver, nous, pauvres pécheresses !

« C'est quand même pas très compliqué de faire pousser ses propres topinambours. »

Ok. Encore faut-il savoir ce qu'est un topinambour !

« Je suis végétarienne, mais je peux manger des œufs parce que, ce qui est intéressant à savoir, c'est que l'œuf est le degré zéro de la souffrance animale. »

C'est incroyable comme le terme « intéressant » peut avoir un sens différent selon les gens.

« Tu ne devrais pas boire de lait de vache, car tu n'es pas le bébé de la vache ! »

Ah ! Parce que tu es le bébé du soja, toi, peut-être ?!

Règle n° 11

On assimilera que
PERSONNE
ne sait appliquer
un autobronzant
correctement,
c'est une légende !

J'ai fait texto deuxième langue

Combien d'entre nous ont déjà paniqué en recevant un texto ?
« Tu te rends compte ! Je lui ai écrit **"Bisous"** et il m'a répondu **"Bises"**. Je me sens humiliée ! »
(C'est typiquement féminin, nous n'avons aucun sens des proportions.)
Alors, afin d'éviter toute interprétation hâtive ou erronée, nous avons mis au point un tableau de référence.

Texte	Traduction
.	Ayé, fini !
..	Je veux laisser du suspense.
...	Je ne sais pas comment terminer cette phrase.
....	Ça ne veut rien dire ! N'oubliez pas que « Trop de points tue le point ».
?!	Je pose la question mais je suis un peu agacée.
?!!	Je pose la question mais je suis d'ores et déjà très énervée par la réponse.
:)	Je rigole.
;)	Je rigole même si c'est pas forcément drôle.
:$	Je rigole même si j'ai un bec de lièvre.
<3	Un cœur.
8>	Une bite*.

---

* Un pénis (mais les auteurs ont une préférence pour le mot « bite », qu'elles trouvent bien plus rigolo).

Traduction français / texto

Alors oui, notre anglais est scolaire, nous avons écrit « notions de latin » sur notre CV et notre espagnol se résume à « *Una cerveza por favor* ».

Mais une chose est sûre, on est incollables en déchiffrage de texto !

Bises	Je veux mettre de la distance
Biz	J'insiste sur le fait que nous sommes seulement des amis
Bisous	Un rapprochement est possible
Kisses	Je veux montrer que je suis cool
XXX	Je suis américain ou acteur porno…
Big Bisous	Je suis Carlos
Smacky smack	J'ai moins de 15 ans ou je suis gay
Kill you	Je suis un psychopathe

Comment humilier publiquement une amie ?

Autrement dit : « organiser un enterrement de vie de jeune fille ».

Sont PROSCRITS les enterrements de vie de jeune fille qui contiennent :

- **Un déguisement quelconque** (perruque, chapeau et autres accessoires à caractère humoristique)
- **Un gage** (faire des bisous à des inconnus, récupérer des numéros ou vendre du papier toilette sur la place publique)
- **Des sex-toys** (achat, démonstration ou utilisation sur la place publique)

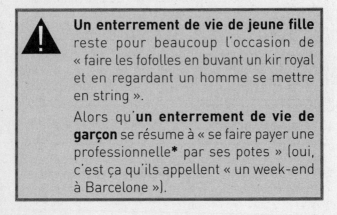 **Un enterrement de vie de jeune fille** reste pour beaucoup l'occasion de « faire les fofolles en buvant un kir royal et en regardant un homme se mettre en string ».

Alors qu'**un enterrement de vie de garçon** se résume à « se faire payer une professionnelle* par ses potes » (oui, c'est ça qu'ils appellent « un week-end à Barcelone »).

---

* Cf. note p. 27.

Règle n° 12

*On ne dira plus :
« Fais gaffe,
j'ai de l'herpès ! »,
mais : « Attention
à mon petit bouton
de fièvre. »*

Demain, je me mets au sport !

Cette année, on a franchi le pas. On s'est inscrites à la salle de sport !

Maintenant, le plus dur reste à faire... Y aller !

Il n'y a qu'une seule règle, une seule motivation, une seule chose qui nous pousse à nous rendre dans ce lieu de torture...

LA CULPABILITÉ !

« *L'inscription à la salle de sport m'a coûté 800 euros...* **Je suis obligée d'y aller !** »

« *J'ai passé mon week-end à me goinfrer...* **Je suis obligée d'y aller !** »

« *Le prof va me faire la remarque qu'il ne m'a pas vue depuis 5 semaines...* **Je suis obligée d'y aller !** »

« *Je me suis acheté des baskets neuves à 100 euros, une tenue super-stylée et un soutien-gorge de sport...* **Je suis obligée d'y aller !** »

« *Les autres filles du cours vont me lancer un regard désapprobateur...* **Je suis obligée d'y aller !** »

« *Y a plein de mecs mignons et je suis célibataire...* **Je suis obligée d'y aller !** »

Petit calcul de base

Prix de l'abonnement à la salle de sport

+ Prix de la tenue achetée pour l'occasion

+ Prix de l'iPod acheté pour l'occasion

Nombre de fois où nous y sommes allées dans l'année

=

Prix réel à la séance*****

---

* Effectivement, on est obligées d'y aller !!

78

Facebook
ou « Comment ils nous font croire qu'ils ont une vie géniale »

On a tous, dans nos amis Facebook, une personne qu'on ne connaît pas bien mais qui nous donne l'impression d'avoir une vie extraordinaire !

Mais gardez bien à l'esprit que la vie des autres n'est pas formidable... Tout n'est qu'une question de point de vue !

« Déjeuner de ouf avec les poulettes ! Wooo ! »

Ok, elle a donc mangé à midi.

« Yesss ! C'est le week-end !! »

Chose extraordinaire, elle ne travaille pas le dimanche.

« Aïe !! Olala ! Merci à Monsieur Doliprane ! »

Elle a sûrement bu un mauvais kir... dans un mauvais troquet... en mauvaise compagnie.

« J'ai le meilleur des chéris !! »

Son mec est allé acheter le pain.

« Tellement gâtée !! Merciiii ! Vous êtes fous ! »

Un convive lui a apporté une « forêt-noire » pour le dessert.

Le complexe de la machine à café

Nous sommes lundi matin et, comme chaque lundi, notre collègue (qu'on appellera ici « Christelle de la compta », d'abord parce que Christelle, c'est moche, et parce qu'on a déjà utilisé « Michel » plus haut dans le livre) décide de nous raconter son week-end autour de la machine à café.

Et là, c'est la panique ! Notre week-end s'étant résumé à trier notre armoire et à finir la saison 6 de *Dexter*, nous ne pouvons décemment pas en parler, ce serait un aveu d'échec !

C'est ce qu'on appelle communément :

« Le complexe de la machine à café »

À ce moment précis, dites-vous que les autres n'ont pas une vie extraordinaire !

Certains même ont une vie chiante comme la pluie*****.

Et surtout, rappelez-vous que Christelle de la compta est vraiment une « connasse » !

---

* Cf. Chapitre « Comment savoir qu'on a une vie de merde », p. 40.

J'peux pas vendredi...
C'est la finale de Secret Story

Phrases de connasses :

« Quoi, tu regardes des films en VF ? »

« Tu es allée voir le spectacle d'Ariane Mnouchkine qui dure 9 heures ? C'est FOR-MI-DA-BLE !! »

« Navrée, je ne sais pas de quoi tu parles, je n'ai pas de télé. »

Pour citer le philosophe Cookie Dingler dans son œuvre intitulée *Femme libérée* :

Elle est abonnée à Marie Claire

*Dans L'*Nouvel Obs *elle ne lit que Bretécher*

Le Monde *y a longtemps qu'elle fait plus semblant*

Elle a acheté Match *en cachette c'est bien plus marrant*

On lit *VOICI* et on assume !

On va pas se mentir ! C'est quand même plus distrayant que *Le Monde diplomatique*.

Ben quoi ?! C'est quand même vital d'avoir des nouvelles de Suri Cruise... Non ?

On n'a besoin de personne

On a longtemps pensé que le bricolage était l'apanage des hommes... que nous avions besoin d'eux pour effectuer tous les travaux de la maison.

Eh bien mesdames, cette période est révolue !

Ici s'achève une longue tradition d'appels à l'aide.

> **Pas besoin d'homme pour bricoler !**
> **Pas besoin de bricoler du tout en fait !**

Témoignages :

« Ça va ! C'est pas si contraignant de devoir ouvrir et fermer le robinet d'arrivée d'eau à chaque chasse d'eau. »

« On prend l'habitude de dormir avec une couverture de survie. Pourquoi payer un nouveau chauffe-eau ? »

« De la Patafix, ça marche très bien pour réparer une fenêtre ! »

« J'ai pris l'habitude de passer par la fenêtre, pas besoin de faire refaire la clé. »

« Pourquoi régler cette horloge ? C'est quand même pas compliqué de rajouter deux heures en hiver et une heure en été. »

M'enfin... C'est pas la fin du monde de demander un peu d'aide, **personne ne vous jugera si vous ne savez pas faire ! (La connasse, si... Mais c'est une connasse.)**

Règle n° 13

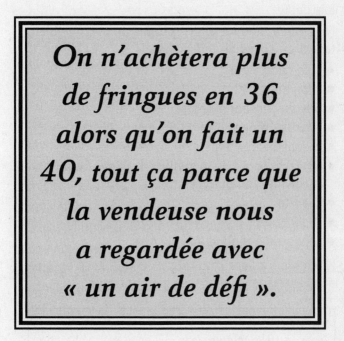

On n'achètera plus de fringues en 36 alors qu'on fait un 40, tout ça parce que la vendeuse nous a regardée avec « un air de défi ».

Il me faut AB-SO-LU-MENT une « machine à pain » !

Ou comment nos placards sont remplis de choses qui nous paraissaient indispensables quand on les a achetées, mais qu'on n'a utilisées qu'une seule fois depuis.

Nos placards sont aussi remplis de plein d'objets tout droit sortis du télé-achat :

- Pierrade
- Palper-rouler
- Mixeur / robot ménagé
- Partie crêpes
- Assainisseur d'air
- DVD de cours de gym dispensés par Cindy Crawford (eh oui...)
- Sex-toy
- Sport Elec
- Appareil à fondue au chocolat

(Celles qui osent rétorquer : « Non, je m'en suis servie trois fois... » sont également concernées !)

Morale :

Alors là ! Ne comptez pas sur nous pour vous faire culpabiliser ! On n'a jamais oublié ce qu'on a ressenti en recevant notre « Kit pour faire des Cupcakes* » !

Hihi ! C'ÉTAIT TROP CHOUETTE !!

---

* Il est encore dans sa boîte.

Il est tout pourri ton cadeau

« Un cadeau est toujours réussi lorsqu'il vient du cœur. »

Tu parles ! Dans 62 % des cas, les cadeaux qu'on reçoit sont tout simplement pourris* !

Repensez au pire cadeau qu'on vous ait offert et posez-vous la question :

« Cette personne me voulait-elle vraiment du bien ? »

« Ma tante m'offre des boules de bains chaque année. »

J'ai une douche !

« Tu peux le changer, j'ai gardé le ticket. »

On ne nous donne jamais le ticket !

« Ma belle-sœur m'a offert un couteau de boucher pour Noël. »

Je me demande comment je dois le prendre !

« Mon cousin m'a offert un tableau de clown qui pleure, en me disant : "J'ai tout de suite pensé à toi." »

??!!!

---

* Pourcentages complètement aléatoires, basés uniquement sur l'expérience personnelle des auteurs.

La vérité sur les cadeaux

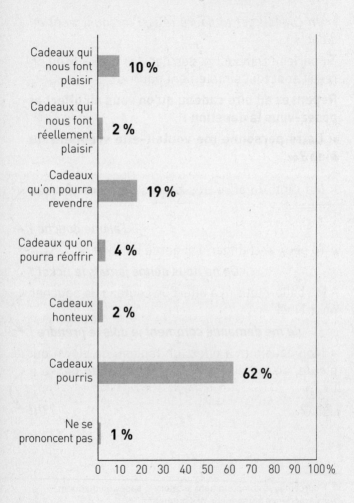

Cadeaux qui nous font plaisir — 10 %

Cadeaux qui nous font réellement plaisir — 2 %

Cadeaux qu'on pourra revendre — 19 %

Cadeaux qu'on pourra réoffrir — 4 %

Cadeaux honteux — 2 %

Cadeaux pourris — 62 %

Ne se prononcent pas — 1 %

0 10 20 30 40 50 60 70 80 90 100 %

Liste des cadeaux interdits

À L'ATTENTION DES HOMMES

Messieurs,

Nous avons conscience que, pour la plupart d'entre vous, choisir un cadeau pour votre chérie reste une épreuve douloureuse. Ainsi, nous nous permettons de vous prodiguer quelques conseils de survie :
Évitez les « cadeaux pour vous ». Croyez-vous que nous sommes dupes ?

- **Déshabillé très coquin**
- **Sex-toys**
- **Jeu vidéo World and Warcraft 2**

Évitez également tout cadeau qui peut être considéré comme « à message » :

- **Cours de cuisine**
- **Séances de relooking**
- **Séances chez le psy**

Attention, dans notre grande paranoïa, sachez que tout cadeau, même le plus innocent, peut devenir pour nous un « cadeau à message ».

« Hannn !! Il m'a offert……… Tu crois qu'il veut dire que…………. ??!!! »

Alors, ne prenez pas de risques !

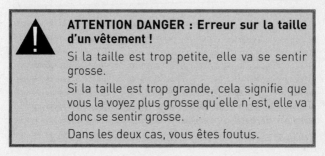

ATTENTION DANGER : Erreur sur la taille d'un vêtement !

Si la taille est trop petite, elle va se sentir grosse.

Si la taille est trop grande, cela signifie que vous la voyez plus grosse qu'elle n'est, elle va donc se sentir grosse.

Dans les deux cas, vous êtes foutus.

Les mères parfaites*/**

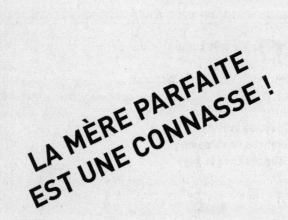

LA MÈRE PARFAITE
EST UNE CONNASSE !

---

* **Note des auteurs :** Cela fera l'objet d'un second ouvrage, intitulé *La mère parfaite est une connasse*.

** **Note de l'éditeur :** Il faudrait déjà que vous vendiez celui-là.

Règle n° 14

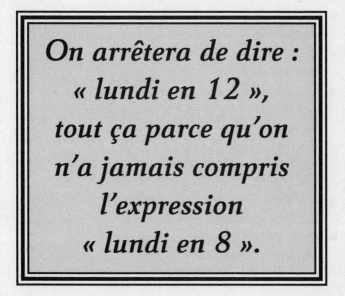

*On arrêtera de dire :
« lundi en 12 »,
tout ça parce qu'on
n'a jamais compris
l'expression
« lundi en 8 ».*

Quoi ?! T'avais pas gardé le ticket ?!

La femme parfaite est très organisée ! Ce qui n'est malheureusement pas notre cas !

C'est vrai, soyons honnêtes :

- Qui n'a jamais continué à payer l'assurance du portable qu'elle avait perdu il y a 4 ans ?
- Qui n'a jamais oublié de s'inscrire sur les listes électorales ?
- Qui n'a jamais payé un billet d'avion hors de prix parce qu'elle l'a pris à la dernière minute ?
- Qui n'a jamais offert un objet qui lui appartenait parce qu'elle avait oublié d'acheter un cadeau d'anniversaire ?
- Qui n'a jamais dit : « J'ai dépassé la date pour me faire rembourser » ?
- Qui n'a jamais oublié de résilier son abonnement minitel ?

Alors oui, on n'est peut-être pas les reines de l'organisation... On n'a pas de compte épargne logement, ni d'extension d'assurance, mais nous, on a une boîte en bois, bien cachée, hihi !

Les « Nouvel An »
sont toujours foireux

Arrêtons de nous mettre la pression. Quoi que l'on fasse, quoi que l'on prévoie, cette soirée ne sera jamais à la hauteur*.

Et s'il nous arrive de passer une soirée incroyable, sachez que cela ne sera que purement accidentel !

TOP 5 DES NOUVEL AN LES PLUS FOIREUX :

1. Seule avec son chat

2. Avec notre ex et sa nouvelle copine
(une sublime Brésilienne de 20 ans)

3. La seule célibataire au milieu de couples

4. Avec des gens qui ne boivent pas d'alcool

5. En vomissant à 23h57

En cas de cumul, le Nouvel An en question sort de la catégorie « Nouvel An foireux » pour devenir « mémorable ».

Exemple : Vomir sur son chat à 23h57.

---

* Se référer aux chapitres intitulés : « Facebook ou comment ils nous font croire qu'ils ont une vie géniale » et « Comment savoir qu'on a une vie de merde ».

Tin tin tintin, tin tin tintin*

Nous ne choisissons pas toujours notre famille (quelques-uns de nos amis non plus, d'ailleurs) et nous choisissons encore moins d'être présentes ou non à leurs mariages.

Conseils à suivre pour survivre à un mariage :

- Ne pas être plus belle que la mariée, sauf si on la déteste.
- Commencer à boire assez tôt, ça passera plus vite (mais en évitant quand même d'être bourrée au vin d'honneur).
- Éviter d'aborder les thèmes épineux lors du discours, tels que :
  - La vie sexuelle antérieure de la mariée
  - L'ambiguïté sexuelle du marié
  - La Shoah

Nous éviterons donc les :

« Avant de rencontrer Benoît, Vanessa c'était une vraie chaudasse ! »

« On applaudit les mariés ! Michel et ... ???? »

« J'aimerais qu'on ait une pensée pour tous ces enfants qui meurent de faim dans le monde et qui... Ah ! Mais je m'interromps car la pièce montée vient d'arriver. »

« Allez ! Tout le monde chante avec moi ! Bali Balo dans son berceau... »

---

* Vous avez tous reconnu l'air de la marche nuptiale.

Et on fait tourner les serviettes

Afin d'égayer un peu cette longue soirée, pensez à :

- **Repérer rapidement le tonton porté sur l'alcool et bagarreur et ne pas hésiter à remplir régulièrement son verre.**

Une petite bagarre est toujours la bienvenue à la fin d'un banquet.

- **Se filmer dans les toilettes avec son téléphone portable, et donner une note à la soirée comme dans les émissions télé « Un dîner presque parfait » ou « Quatre mariages pour une lune de miel ».**

Juger les gens fait souvent passer une très bonne soirée !

- **Se faire passer pour la cousine américaine qui ne parle pas français.**

Les gens parleront sans retenue devant nous... Y a moyen de se marrer !
Marche aussi avec "la cousine sourde".

- **Si on remarque qu'un convive est spécialement timide, ne pas hésiter à l'interpeller en lançant le fameux : « Un discours !! Un discours !! »**

Qui sera repris, soyez en sûre, par l'assemblée tout entière.

- **S'inventer une vie auprès des invités qu'on ne reverra jamais.**

Vous ne me reconnaissez pas ? J'ai fait Secret Story 3, mon secret était : « Je suis née danseuse de Flamenco ».

« Qui c'est qu'a pété ?! »

Qu'on se le dise, même la femme parfaite pète... Mais elle le fait discrètement.

Et si par ailleurs elle surprend quelqu'un en pleine action, elle évitera de crier :

« C'est pas moi, c'est Martine ! »

« Ah mais c'est quoi c't'odeur ! Ça me brûle les yeux ! »

« T'es pourrie de l'intérieur, c'est pas possible ! »

Se décline également en version « Toilettes » :

« Pendant les 4 prochaines heures, vous allez oublier que j'ai des chiottes ! »

 Mots interdits pour désigner des toilettes :

- **Waters**
- **Chiottes**
- **Cabinet**
- **Cabech**

Ou tout autre mot dit « mignon » ou « issu du folklore régional ».

> ⚠ Est-il utile de préciser que l'expression « Qui c'est qu'a pété » est interdite depuis... Depuis toujours en fait !

Règle n° 15

On arrêtera de crier :
« Hey ? tu veux voir
ma chatte ? »
en brandissant une
photo de son chat.

Ces filles qui ne mangent qu'une salade...

Elles nous font culpabiliser lorsqu'on commande une fondue savoyarde avec un supplément charcuterie, alors qu'elles commandent une salade « sauce à part »...

Mais n'oubliez jamais :

Une fille qui ne grossit pas, c'est une fille qui ne mange pas !
Une fille qui ne grossit pas, c'est une fille qui ne mange pas !
Une fille qui ne grossit pas, c'est une fille qui ne mange pas !
Une fille qui ne grossit pas, c'est une fille qui ne mange pas !
Une fille qui ne grossit pas, c'est une fille qui ne mange pas !
Une fille qui ne grossit pas, c'est une fille qui ne mange pas !
Une fille qui ne grossit pas, c'est une fille qui ne mange pas !
Une fille qui ne grossit pas, c'est une fille qui ne mange pas !
Une fille qui ne grossit pas, c'est une fille qui ne mange pas !
Une fille qui ne grossit pas, c'est une fille qui ne mange pas !
Une fille qui ne grossit pas, c'est une fille qui ne mange pas !
Une fille qui ne grossit pas, c'est une fille qui ne mange pas !
Une fille qui ne grossit pas, c'est une fille qui ne mange pas !
Une fille qui ne grossit pas, c'est une fille qui ne mange pas !
Une fille qui ne grossit pas, c'est une fille qui ne mange pas !
Une fille qui ne grossit pas, c'est une fille qui ne mange pas !
Une fille qui ne grossit pas, c'est une fille qui ne mange pas !
Une fille qui ne grossit pas, c'est une fille qui ne mange pas !

Interdiction du texto bourré

Nous profitons de ce livre pour faire un peu de prévention contre l'utilisation du texto bourré !

C'EST INTERDIT !!!

Le fameux texto « riche de sens » de 3 heures du matin...

Nous souhaiterions vivement qu'il y ait une application sur Smartphone avec alcootest intégré, ça pourrait sauver des vies !

Ça nous empêcherait, par exemple, d'envoyer à notre ex à 3 heures du matin :

« Je pense encore à toi*... »

Texto, qui aura d'énormes conséquences...

Surtout si notre ex a l'audace de répondre...
« C'est qui ? »

> **!** Ceci vaut également pour les statuts Facebook, tweets, etc.

---

* C'est un exemple parmi d'autres. Il est également question ici des nombreux messages salaces, chantages affectifs, menaces de suicide que nous avons envoyés lors de nos nuits arrosées...

La star du collège vieillit mal

La star du collège finit mal !

Ou équivalent : La théorie de la « Pom-Pom Girl ».

On en connaissait toutes une, elle avait tout !

Elle était belle, populaire... et on rêvait toutes, en secret, d'être comme elle.

Rassurez-vous :

« Les gens qui s'obstinent à être de leur temps disparaissent avec lui. »

Il en est de même pour la star du collège qui s'est éteinte avec les années collège.

Grâce à Facebook, on constate 15 ans plus tard que :

- Elle a épousé un « looser »
- Elle a pris 20 kilos
- Elle a des enfants moches
- Elle a un chien ridicule et/ou méchant
- Elle est passée dans l'émission « Confessions intimes »
- Elle porte des Crocs !

Eh oui les filles...
L'heure de la VENGEANCE a sonné !!

Hommage

Nous interrompons un instant le déroulement de ce livre pour dédier la théorie précédente* :

Aux bonnes copines

À celles qui faisaient tapisserie pendant les boums

À celles qu'on choisissait en dernier pour faire les équipes en sport

À celles qui avaient un appareil dentaire

Aux premières de la classe

À celles qui n'avaient pas de poitrine

À celles qui ne portaient pas de « marques »

À celles qu'on affublait d'un surnom ridicule

À celles qui n'étaient pas invitées aux fêtes

À celles qui gardaient leur tee-shirt à la piscine

Enfin, aux rigolotes, aux petites grosses,
aux garçons manqués, aux acnéiques,
aux pucelles, bref,
à toutes celles qui n'ont jamais été...
des CONNASSES !

---

* Pour bien faire, ce passage doit être lu debout, à haute voix, la main posée sur le cœur et l'hymne national américain en fond sonore.

La faute à Meg Ryan

C'est la faute de cette connasse de Meg Ryan !

Parce que nous, on y a cru en regardant *Nuit blanche à Seattle*, que c'était « magique ».

En regardant *Dirty Dancing*, on a cru que Johnny (une fois qu'il aurait fini de courir après son destin comme un cheval sauvage) allait nous amener loin de tout ça !

C'est vrai, qui n'a jamais rêvé d'une histoire d'amour **« comme dans les films »** ?

Une rencontre parfaite, une relation drôle, légère, passionnée...

Même si la plupart d'entre nous en ont fait le deuil, pour les autres, le réveil est plus difficile...

Comme les générations précédentes ont pu croire au conte de fées, nous avons grandi en croyant au prince charmant !

À Richard Gere dans *Pretty Woman*, à Johnny dans *Dirty Dancing*, à Big dans *Sex and the City*...

Mais ne soyons pas trop déçues...

Autant la femme parfaite est une connasse, autant le prince charmant est un connard !

Car, à l'instar de la femme parfaite... il n'existe pas.

Règle n° 16

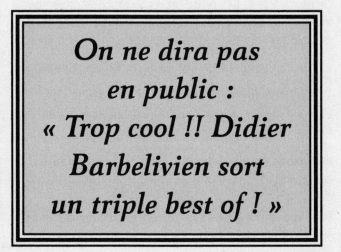

*On ne dira pas
en public :
« Trop cool !! Didier
Barbelivien sort
un triple best of ! »*

Les AP*

Un AP est un homme qui, contre toute attente, nous attire. (Physiquement, sexuellement...)

Il est souvent l'opposé des hommes que nous fréquentons habituellement, mais étrangement, il nous attire !

On n'ose même pas en parler à nos proches et on préfère classer ça dans les dossiers « fantasmes », « trucs qu'on n'assume pas » voire « répréhensibles par la loi ».

« Il est gros, poilu et moche mais quand il est sur sa moto... » **= AP**

« Ça va pas ?! Je pourrais être sa mère... » **= AP**

« Le mec, il a pas d'appart, pas de boulot, il vit dans son van et il fait du surf toute la journée ! » **= AP**

« J'ai passé l'âge de craquer pour un chanteur pour midinettes ! » **= AP**

« Mon voisin est gothique, il est vraiment bizarre, je le soupçonne même d'être un vampire. » **= AP**

Pour apprendre à mieux se connaître, il est important de savoir définir son AP

AP les plus courants :

- Mec bodybuildé
- Chanteur de country
- Danseur de comédies musicales
- Père de nos potes
- Petit frère de nos copines
- Biker tatoué
- G.O.

***** Attirance perverse.

Analyse de la photo de profil d'un mec

Sur Facebook, le garçon envisagé comme un futur petit ami potentiel a mis une photo :

- De lui avec ses potes = **Cool**
- De lui avec un pote = **Gay**
- De lui avec son ex = **Ne sait pas où il en est**
- De lui déguisé = **Dépressif**
- D'un chef d'État = **Inquiétant**
- D'un paysage = **Moche**
- D'un mec (qui n'est pas lui) très moche = **Moche mais drôle**
- D'un mec (qui n'est pas lui) très beau = **Moche et triste**
- D'un petit chat = **Gay***
- D'un petit chat mort = **Psychopathe**

---

* Cf. le chapitre « Gay / Pas gay », p. 106.

Le rencard foireux

Avant un premier rendez-vous galant, il faut vous entendre au préalable avec une amie afin d'établir un plan d'action pour vous sauver en cas de besoin.

(Si vous découvrez par exemple qu'il est chiant comme la pluie, radin, fan de curling, etc.)

Pour vous éclipser, il suffira que votre amie (et complice) vous appelle pendant le repas et que vous lui répondiez en simulant la surprise :

« Allô ! Quoi ??! Ne saute pas ! J'arrive tout de suite ! »

« Allô ! Quoi ??! *Dirty Dancing* repasse sur W9 ? J'arrive tout de suite ! »

« Allô ! Quoi ??! Mais que faisait-il avec cette moissonneuse-batteuse ? J'arrive tout de suite ! »

Règle n° 17

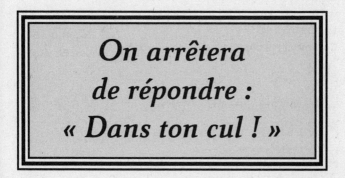

*On arrêtera
de répondre :
« Dans ton cul ! »*

Gay / Pas gay

Abordons à présent la question de « l'homme moderne » ou, comme les magazines féminins aiment à l'appeler, le « métrosexuel ». C'est-à-dire cet homme qui assume sa part de féminité.

Il est vrai que l'homme a évolué. Grand bien lui fasse... Mais cela n'est pas sans conséquence. En effet, aujourd'hui notre « Gaydard* » est en panique !

La question est :

Comment reconnaître le gay du faux ?

Test :

☐ Il commande un kir.

☐ Il connaît la différence entre les couleurs « orange » et « corail ».

☐ Il connaît les noms des actrices de *Gossip Girl*.

☐ Il sait faire le risotto.

☐ Il trouve Justin Timberlake sexy.

☐ Il connaît par cœur la danse de Johnny dans la scène finale de *Dirty Dancing*.

☐ Il connaît *Dirty Dancing*.

☐ Il embrasse ses « amis » sur la bouche pour leur dire bonjour.

☐ Il tapote le pénis de ses « amis » pour leur dire bonjour.

Si vous avez coché plus de 4 cases, il risque de vous emmener voir la comédie musicale *Mamma mia* !

 Si malgré tout il s'avère hétérosexuel :
ÉPOUSEZ-LE !

---

* Radar à gays.

Le Shark

La définition donnée par le Larousse :

> *« Poisson sélacien au corps fuselé terminé par un rostre pointu et aux fentes branchiales situées sur les côtés du corps. [...] Les requins hantent l'imagination de l'homme, provoquant la peur mais aussi une fascination qui ne s'est pas démentie au cours des siècles. Si, aux îles Salomon et aux îles Tonga, ils sont vénérés comme des dieux, en Occident ils symbolisent la mort qui surgit de la mer à l'improviste. »*

Le Shark, prédateur* qui rôde en fin de soirée à la recherche d'une proie facile... Vous !

Un moment d'inattention, un verre de trop, une copine qui vous laisse seule le temps d'aller aux toilettes, et c'est l'attaque !

Le Shark est rapide, précis et très efficace !

Combien de nos sœurs de misère ont connu une attaque de Shark et en portent aujourd'hui encore les stigmates ?

Faites très attention ! Soyez vigilantes et gardez toujours à l'esprit que le Shark rôde...

---

* Un prédateur reste un prédateur, on ne peut pas l'apprivoiser et on ne pourra jamais changer sa nature profonde... Alors un conseil : ne vous y frottez pas !

Comment épater un mec

L'homme n'est pas cet animal complexe qu'il veut bien nous laisser croire. Il reste aujourd'hui très facile de l'épater et, de ce fait, de gagner son respect :

- Apprendre par cœur les règles du « hors-jeu ».
- Savoir faire passer sa jambe derrière sa tête.
- Savoir ouvrir une bière avec un briquet, son avant-bras ou ses dents.
- Raconter avoir eu une expérience homosexuelle (ou à plusieurs).
- Devenir la reine du jeu vidéo Fifa.
- Apprendre à jouer de la guitare (un morceau suffit... les hommes sont crédules, ne l'oublions pas).
- Apprendre une ou deux phrases types sur le mercato foot en cours.
- Dire qu'on est très copine avec Clara Morgane.
- Se procurer toujours avant lui le dernier produit Apple.
- Apprendre par cœur tous les noms des *Chevaliers du Zodiaque* et les répliques de *Star Wars*.
- Savoir réparer un « carbu ».
- Savoir ce qu'est un « carbu ».

Et si vous jugez cette liste un peu trop réductrice face à la complexité de cet « animal politique »..., vous êtes bien naïves !

Concept du veto

Le mot « veto » vient du latin et signifie littéralement : « Je m'oppose ! »

En l'occurrence : « Je m'oppose à ce qu'une autre fille drague ce garçon. »

 A le droit d'appliquer « un veto » celle qui l'a DIT en premier et non pas, comme beaucoup le pensent, celle qui l'a VU en premier.

D'où l'importance de faire savoir rapidement son attirance pour un garçon.

Témoignage de Mélodie : « *On avait craqué sur le même garçon, mais comme elle m'avait permis d'acheter le même gilet qu'elle, je le lui ai laissé.* »

N.B. Ce concept est également connu sous le nom de « Prem's » !

Exceptions au droit de veto

- Si deux filles font connaître leur attirance pour le même garçon, en même temps.

  C'est celle qui l'avait VU en premier qui a la main.

- Si les deux l'ont vu en même temps.

  C'est celle qui est célibataire depuis plus longtemps qui a la main.

- Si les deux sont célibataires depuis aussi longtemps.

  Une concertation « à l'amiable » sera effectuée, avec la possibilité de faire intervenir un médiateur.

La concertation pourra se conclure par une donation (vêtement, accessoire, produit de toilette...) à la personne lésée.

Le concept du veto peut paraître un peu trivial, mais loin de nous l'idée de considérer l'homme comme un objet... En tout cas, pas en public !

D'ailleurs pour le ménager, il est important qu'il ne soit pas au courant qu'un veto a été posé sur lui !

Soyez discrètes !!

Ci-joint des « bons pour un veto » à découper et à brandir à ses concurrentes.

BON POUR UN VETO

*Ce "veto" est effectif dès aujourd'hui
et ce pour une durée de 3 mois.
Nul(le) n'aura le droit de draguer d'une
façon ou d'une autre ledit « veto »
sous peine de poursuites.*

BON POUR UN VETO

*Ce "veto" est effectif dès aujourd'hui
et ce pour une durée de 3 mois.
Nul(le) n'aura le droit de draguer d'une
façon ou d'une autre ledit « veto »
sous peine de poursuites.*

BON POUR UN VETO

*Ce "veto" est effectif dès aujourd'hui
et ce pour une durée de 3 mois.
Nul(le) n'aura le droit de draguer d'une
façon ou d'une autre ledit « veto »
sous peine de poursuites.*

BON POUR UN VETO

*Ce "veto" est effectif dès aujourd'hui
et ce pour une durée de 3 mois.
Nul(le) n'aura le droit de draguer d'une
façon ou d'une autre ledit « veto »
sous peine de poursuites.*

BON POUR UN VETO

*Ce "veto" est effectif dès aujourd'hui
et ce pour une durée de 3 mois.
Nul(le) n'aura le droit de draguer d'une
façon ou d'une autre ledit « veto »
sous peine de poursuites.*

BON POUR UN VETO

*Ce "veto" est effectif dès aujourd'hui
et ce pour une durée de 3 mois.
Nul(le) n'aura le droit de draguer d'une
façon ou d'une autre ledit « veto »
sous peine de poursuites.*

Règle n° 18

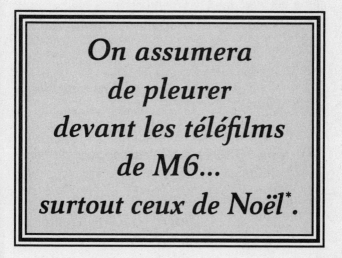

> *On assumera*
> *de pleurer*
> *devant les téléfilms*
> *de M6...*
> *surtout ceux de Noël*.*

---

* *Un grand-père pour Noël, Un nouveau cœur pour Noël,*
Un Noël où il ne fait pas bon être orpheline quand on a 12 ans
et une jambe de bois...

Pense-bête à l'usage des filles qui veulent mieux comprendre les hommes

IL DIT...   **IL PENSE**

J'aime les filles qui ont des formes.

> *J'aime les gros seins, mais pas les grosses.*

Tu ne te changes pas ?

> *Je te trouve moche dans cette robe.*

Ça se voit trop que ce sont des faux seins.

> *Je mettrais bien la tête dedans pour vérifier.*

T'es super-sympa !

> *C'est con que tu sois moche !*

Elle est vulgaire, Sabrina.

> *Je la sauterais bien.*

On s'appelle.

> *Je ne t'appellerai pas.*
> (Sinon, il aurait dit « Je t'appelle ».)

C'est juste une copine.

        J'ai jamais eu l'occasion de la sauter.

J'aime les filles qui ont de l'humour !

        Mais il ne faut pas qu'elles soient
        plus drôles que moi.

Tu veux pas qu'on essaye de nouvelles choses ?

        Tu veux pas faire un plan à 3 avec Gaëtane ?

Maintenant, j'ai envie d'une relation sérieuse.

        J'ai déjà sauté tout ce qui bougeait.

J'ai besoin d'une fille plus discrète.

        J'aime pas qu'on me vole la vedette.

Peut-être que je suis en train de faire la plus grosse erreur de ma vie en te quittant.

        Je te garde sous le coude si j'ai besoin
        d'un coup d'un soir.

Je préfère qu'on prenne notre temps.

        J'ai des problèmes d'érection.

La théorie de l'indifférence

« Moi je suis incapable de draguer un mec qui me plaît ! Non, je joue l'indifférence, la distance... C'est simple : je ne le regarde pas ! Je ne lui parle pas ! Et ça ne marche pas... »

LA THÉORIE DE L'INDIFFÉRENCE NE MARCHE PAS !

On n'a jamais vu un mec qu'on n'a pas regardé de la soirée venir nous voir pour nous dire : « Hey ! J'ai remarqué que tu ne m'avais pas remarqué... Et par conséquent, je suis follement attiré par toi ! »

Ça n'existe pas ! Les hommes préfèrent de loin les filles accessibles ; il va rentrer avec la petite blonde qui dansait comme une chagasse***** pendant que nous, on faisait le robot...

> **⚠** L'indifférence ne fonctionne pas à court terme. Elle peut cependant s'avérer efficace si elle fait partie d'une stratégie plus longue à mettre en place. Mais dans ce cas, ne prenez pas de risque : prenez garde à vos concurrentes potentielles, pensez à utiliser vos bons pour un veto (pages 111-114).

---

* Voir le chapitre « Chagasse/Pas chagasse », p. 62.

Règle n° 19

*On évitera de boire
de l'alcool face
au mec de son amie,
qu'on ne peut
pas encadrer !
Un « Ton mec, c'est
qu'une merde ! »
est si vite arrivé...*

Ne le rappelle pas tout de suite, il va penser que c'est gagné

Eh oui. Il est de bon ton de laisser mariner un homme. Allez savoir pourquoi !

La peur de paraître désespérée, la peur de lui mettre la pression...

Mais surtout, le besoin de lui prouver que « c'est pas du tout cuit ! ». (Alors que si, en fait !)

Toutes ces raisons, aussi injustifiées soient-elles, nous poussent à faire des choses bizarres...

« Je ne décroche pas, comme ça, il va penser que je suis très occupée et que j'ai une vie de dingue ! »

« Je vais décrocher en disant : "Allô ? Steve ?" Comme ça, il se demandera : "C'est qui ce Steve ?" Et il sera trop jaloux ! »

« Je ne le rappelle pas, comme ça, il se dira que je ne suis pas intéressée, il rencontrera quelqu'un d'autre et je le rappellerai au moment où il s'y attendra le moins ! Malin non ? »

La règle la plus répandue dans ces cas-là est « La règle des 3 jours », qui consiste à attendre 3 jours avant de rappeler l'être convoité. *(Voir page ci-contre.)*

La règle des 3 jours

Après de nombreuses recherches, nous avons découvert que **« La règle des 3 jours » trouverait son origine dans la résurrection d'un certain Jésus-Christ**.

« Whaou ! Incroyable ! »

(Oui, nous aussi, ça nous a fait le même effet !)

La légende veut que Jésus, après sa mort, ait attendu 3 jours avant de revenir à la vie.

Jésus a attendu 3 jours avant de ressusciter ! 4 c'était trop, 2, pas assez.

S'il était revenu plus tôt, certains ne se seraient même pas rendu compte qu'il était mort :

« Jésus ? Il est mort ? Non ?! T'es sûr ? Mais quand ? On me dit jamais rien à moi ! »

Mais s'il avait attendu plus longtemps :

« Ouais, Jésus ? Il est mort la semaine dernière... Mais tu savais que Pierre était mort hier ?! Les boules ! »

3 jours, c'était donc le parfait timing.

Règle n° 20

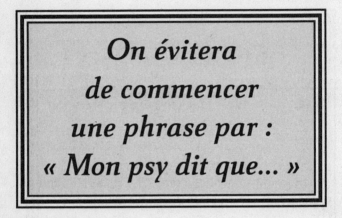

*On évitera
de commencer
une phrase par :
« Mon psy dit que... »*

Règle n° 21

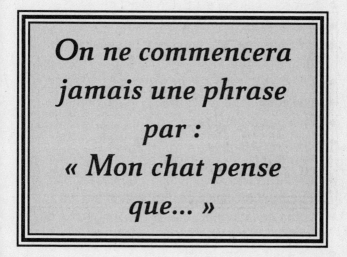

On ne commencera jamais une phrase par :
« Mon chat pense que... »

Comment savoir qu'un mec est trop jeune pour nous

- Il nous vouvoie.
- Il nous appelle **« Madame »**.
- Il nous appelle **« Maman »**.
- Il ne sait pas qui est Dylan McKay.
- Il n'a jamais vu un minitel en vrai.
- Il n'a pas connu Groquick, mais seulement Quicky (ce sale lapin arriviste !).
- Il flippe pour son bac de français.
- Il ne connaît pas Fido Dido (Pfff ! la honte).
- Il n'a pas connu les francs.
- Il pense qu'Arnold Schwarzenegger est un homme politique américain.
- Ses meilleures anecdotes commencent par **« On était en cours de maths quand... »**.
- Il croit que Laetitia est la première femme de Johnny Hallyday.
- Il n'a pas connu la VHS.
- Il trouve Dora l'exploratrice **« Trop cool »**.
- Il a vaguement entendu parler d'une **« princesse Lady Di »** mais n'est pas sûr qu'elle ait vraiment existé.

Faut-il coucher le premier soir ?

Bien sûr qu'il faut coucher le premier soir !

Vous ne pouvez pas, dans la situation de crise actuelle, laisser passer la moindre occasion*.

Qu'est-ce que vous croyez ? Même les coups d'un soir se font rares...

En ce qui concerne l'adage **« *Si on couche le premier soir, il ne nous rappellera pas* »**, sachez que c'est FAUX !

C'est une légende urbaine, inventée dans le seul but de faire culpabiliser les femmes.

(Sauf si le garçon a entre 25 et 38 ans et qu'il vit à Paris intra-muros, ou dans une agglomération de plus de 15 000 habitants, dans ce cas-là, il ne rappellera jamais !)

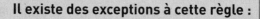

> **Il existe des exceptions à cette règle :**
> - **Si vous êtes mineure**
> - **Si vous cherchez le grand amour**
> - **Si le garçon en question est un psychopathe**

---

* Cela concerne les femmes de plus de 28 ans.

Mais au fait,
pourquoi j'ai couché avec lui ?

- Je me suis sentie obligée, il avait payé le resto.
- **Ça avait l'air de lui tenir à cœur...**
- Il m'a dit qu'il avait un frigo américain ! J'adore les frigos américains, ils font des glaçons !!!
- **Je tiens une liste de mes conquêtes et j'aime bien être sur un compte rond.**
- Il m'a dit qu'il n'avait jamais ressenti ça pour personne...
- **Il est Vierge ascendant Taureau.**
- Il m'a dit : « Même pas cap ! »
- **Il adore les petits chats, les dauphins et les balades en forêt.**
- Un malentendu...
- **Quand j'embrasse, je couche. Je suis à 80 % de rentabilité.**
- Je l'ai confondu avec un autre.
- **On n'avait plus rien à se dire...**
- Je n'avais jamais couché avec un Chinois.
- **Il a dit « s'il te plaît ».**
- J'habite super loin, ça m'arrangeait parce que son appart était au-dessus du bar.
- **Il m'a dit qu'il était le cousin de Christophe Dechavanne...**

Règle n° 22

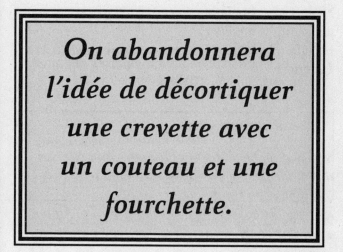

On abandonnera l'idée de décortiquer une crevette avec un couteau et une fourchette.

La « mi-molle »

« Un mal qui répand la terreur,
Mal que le ciel en sa fureur
inventa pour punir les crimes de la terre. »

Jean de La Fontaine, *Les animaux malades de la peste*

Il est vrai que La Fontaine parlait de la peste et non pas de la mi-molle.

Mais la mi-molle n'est-elle pas la peste de notre époque ?

Oui, nous posons la question !!

Définition de la mi-molle :

Phase de transition au cours de laquelle le sang commence à affluer vers le corps caverneux. Par extension, état intermédiaire entre le repos et l'érection.

Bref, quand c'est tout mou.

Imaginez notre déception quand, à l'heure de passer à l'action, nous découvrons que notre partenaire n'est pas aussi excité qu'on l'espérait.

Alors bien sûr, il a une bonne excuse !

Trop d'alcool, trop de fatigue, trop de pression…

« *Je comprends pas, c'est la première fois que ça m'arrive »*, ou encore **« *Tu m'impressionnes trop ! »***

Il est de notre devoir de briser la loi du silence.

TROP DE MI-MOLLE TUE LA MI-MOLLE !

C'est pas grave,
ça arrive à tout le monde...

FAUX !

Au départ, on n'a rien vu venir, ça a commencé par des témoignages qui paraissaient anodins :

« La première fois, c'est jamais super... »

« En fait, on n'a pas trop réussi... »

« On avait pas mal picolé... »

Et puis, les filles ont commencé à en parler entre elles, et enfin, après de nombreuses recherches, de questionnements, de regroupements d'informations, nous sommes arrivées à la conclusion terrifiante :

LES HOMMES NE BANDENT PLUS

Et le pire, c'est que les filles pensent que c'est de leur faute.

« Je l'ai pris pour moi, je dois pas être assez excitante. »

« Je ne dois pas savoir m'y prendre. »

« J'ai peur de l'avoir brusqué... »

> **Réveillons-nous les filles,**
> **en matière de sexe aussi,**
> **il y a un minimum syndical !**

Le retour de la honte

Internationalement connu sous le nom de « *Walk of shame* ».

Ce moment où, en rentrant chez soi au petit matin, après une nuit de folie (soirée en boîte de nuit ou partie de sexe endiablée), on croise ceux qui partent travailler.

Autrement dit, quand ceux qui se couchent croisent ceux qui se lèvent...

Certains signes ne trompent pas :

- Vous portez les vêtements de la veille
- Vous avez une rose fanée qui sort de votre sac
- Vous avez les talons à la main
- Vous avez un air réjoui sur le visage ou qui signifie : « Oh merde, mais qu'est-ce que j'ai fait ?! »

Et dans ces moments, vous sentez bien que les autres vous jugent...

Vous savez qu'ils savent !

Alors pour vous donner une contenance, n'hésitez pas à utiliser un accessoire qui semble dire : « Mais quoi ? Je suis comme vous, je commence ma journée ! »

Une baguette de pain ou le journal du matin feront amplement l'affaire...

Dis-moi combien tu as eu
de partenaires sexuels,
je te dirai qui tu es

Les femmes françaises ont en moyenne 4,4 partenaires sexuels dans leur vie, selon la dernière étude nationale de 2007.

(Ce chiffre était de 1,8 dans les années 1970 et de 3,3 dans la précédente enquête de 1992.)

Quant aux hommes, ils ont en moyenne 11,6 partenaires sexuels dans leur vie. (Il n'y a pas eu d'évolution par rapport à l'enquête de 1970.)

Il est important de connaître le nombre de partenaires que l'on a eus, d'où la nécessité de tenir une liste.

⚠ **Cette liste doit IMPÉRATIVEMENT être tenue hors d'accès de la gente masculine.**

⚠ **Cette règle ne souffre aucune exception.**

Liste des partenaires sexuels

« 32... Et voilà, moins que Madonna mais plus que Lady Di j'ose espérer. »

Il s'agit d'une célèbre réplique d'Andie MacDowell dans le film *Quatre mariages et un enterrement*.

Mais qu'en est-il de vous ?

Aucun partenaire : Vous êtes vierge.

Entre 1 et 5 : Mouais... Vous êtes dans la moyenne.

Entre 10 et 20 : Ah... Quand même...

Plus de 20 : Vous avez bien raison.

Plus de 30 : Vous allez vous gêner !

Plus de 50 : Vous avez bien vécu.

Plus de 150 : Vous êtes Madonna.

Mais dans tous les cas, NE VOUS JUGEZ PAS !
D'autres le feront pour vous... :)

Votre liste de « partenaires »

- ....
- ....
- ....
- ....
- ....
- ....
- ....
- ....
- ....
- ....
- ....
- ....
- ....
- ....
- ....
- ....
- ....
- ....
- ....
- ....
- ....
- ....
- ....
- ....

Règle n° 23

*On arrêtera
de faire couler l'eau
du robinet
pour faire diversion
quand on va aux
toilettes...
Personne n'est dupe !*

Je t'aime, ma couille

Le problème quand on est amoureuse, c'est qu'on se croit seule au monde et on ne se rend pas forcément compte que les surnoms (ridicules) qu'on se donne dans l'intimité peuvent devenir pathétiques en public...

(Déjà qu'on parle très souvent à notre chéri avec une voix niaise, comme s'il s'agissait d'un enfant de 4 ans...)

« Il m'appelle ma grosse, je trouve ça tellement chou ! »

« On est fusionnels, je l'appelle TIC et il m'appelle TAC. »

Les classiques
(Amour, cœur, chouchou...)

Tout surnom composé
(Mon cheval fougueux, mon serpent joli, mon chouchou des îles...)

Animal mignon
(Ma souris, mon chat, mon poussin...)

DO

Animal moche
(Mon rat, mon autruche, mon ornithorynque...)

DON'T

Surnom ayant un lien avec l'anatomie du corps humain
(Ma rate, mon foie, ma couille, mon anus artificiel...)

Au secours !
Mon mec porte des Crocs !

À croire qu'il veut nous faire honte, nous humilier publiquement, rappeler au monde qu'on aurait pu avoir mieux, mais qu'on s'est contentée de lui*****.

<u>Fringues rédhibitoires</u> :

- **Le slip** (exception faite des Italiens et des G.O. du Club Med)
- **Les marques apparentes** (Dolce&Gabana, Ed Hardy, Waïkiki... C'est fini les gars ! même sur les ceintures)
- **Porte-clés mousqueton** (ou totoche)
- **Un vêtement rose** (entre septembre et avril)
- **La cravate texane**
- **Les chemises à manches courtes**
- **La banane** / portefeuille à scratch
- **Le tee-shirt à caractère humoristique**

Les hommes s'entichent très souvent d'un vêtement monstrueux (un chapeau qui ne leur va pas du tout, un vieux pantalon à motifs africains, une paire de claquettes...).

Mais vous ne pouvez pas vous permettre de vous afficher publiquement avec eux dans ces conditions.

Comme toute négociation est impossible... (le fourbe tentera le coup du « C'est juste pour traîner à la maison ! »), **SOYEZ FERMES, JETEZ LE VÊTEMENT INCRIMINÉ !**

---

* Théorie de notre copine Fanny.

Tout tee-shirt à caractère humoristique est proscrit

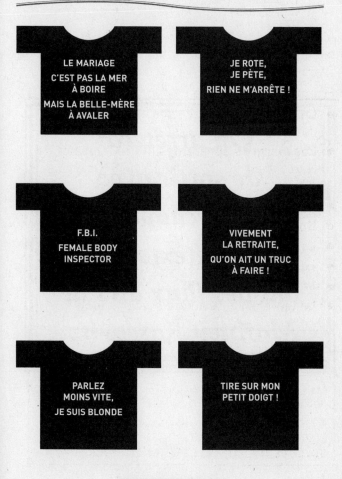

LE MARIAGE
C'EST PAS LA MER À BOIRE
MAIS LA BELLE-MÈRE À AVALER

JE ROTE,
JE PÈTE,
RIEN NE M'ARRÊTE !

F.B.I.
FEMALE BODY INSPECTOR

VIVEMENT LA RETRAITE,
QU'ON AIT UN TRUC À FAIRE !

PARLEZ MOINS VITE,
JE SUIS BLONDE

TIRE SUR MON PETIT DOIGT !

INTERDIT !!

Règle n° 24

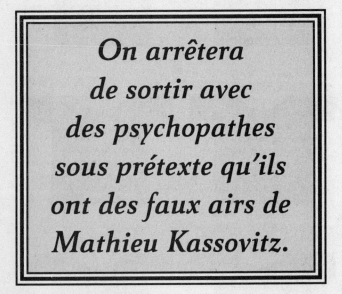

*On arrêtera
de sortir avec
des psychopathes
sous prétexte qu'ils
ont des faux airs de
Mathieu Kassovitz.*

On déteste les Beckham

Et tous ces couples qui ont l'air teeeellement parfaits.

Ils sont beaux, ils sont riches, ils ont des enfants magnifiques et la fâcheuse habitude de nous envoyer leur bonheur en pleine gueule !

Mais posons-nous à présent la question : Est-ce que leur couple nous fait vraiment rêver ? Et d'ailleurs, existe-t-il un couple parfait ?

(Si vous pensez à Chandler et Monica, nous sommes au regret de vous apprendre qu'il s'agit d'un couple fictif.)

Mais le plus énervant dans*

---

* Les auteurs sont dans l'incapacité de terminer ce chapitre, suite à l'annonce de la séparation définitive de Johnny Depp et Vanessa Paradis. Vous comprendrez aisément... Merci de respecter leur douleur.

Au secours ! Mon mec est radin !

Dans la liste des défauts rédhibitoires chez un homme, la radinerie est sans doute le pire !

Il est donc primordial de repérer le radin au plus tôt !

 Ne pas confondre le mec radin et le mec fauché.

Cochez les cases ci-dessous si :

☐ Il vous propose constamment de partager l'addition.

☐ Il note tout ce qu'il dépense dans un petit carnet une fois rentré chez lui.

☐ Il a passé le Nouvel An au ski en débardeur (pour ne pas avoir à payer le vestiaire).

☐ Il vous demande de récupérer vos points Kit Kat (pour l'achat de 100 Kit Kat, le 101e est offert).

☐ Il vous a offert un « bon pour un câlin gratuit » pour Noël.

☐ Il garde la fin du Snickers pour plus tard.

☐ Il trouve que « c'est dommage de s'arrêter boire un Coca alors qu'il y en a à la maison ».

Résultat :

Vous avez coché plus de 2 cases : **ce mec est radin**.

Vous avez coché plus de 3 cases : **il risque de piquer dans votre porte-monnaie**.

Vous avez coché plus de 5 cases : **ce mec est une MERDE !**

 On ne partage pas l'addition au premier rendez-vous* !

---

* Il n'existe pas d'exception à cette règle.

Règle n° 25

On arrêtera de croire qu'on parle couramment italien parce qu'on rajoute des "a" et des "i" à la fin des mots.

Ce soir, je passe à la casserole

La femme parfaite est toujours disposée et disponible pour un rapport sexuel avec son compagnon. Elle accomplit toujours avec un plaisir non dissimulé son **« devoir conjugal »**.

Mais nous, nous ne sommes pas parfaites !

C'est vrai... **Que celle qui n'a jamais eu la flemme « de s'y mettre » nous jette la première pierre !**

« Je le fais maintenant, comme ça, il me restera 6h30 de sommeil. »

« Hoo non, pas maintenant ! Je viens de prendre ma douche ! »

« Je vais le noter dans mon agenda qu'on l'a fait aujourd'hui pour avoir la preuve la prochaine fois qu'il réclamera... »

« Certaines fois, je passe à la casserole en me disant qu'au moins je suis tranquille pour le reste de la semaine. »

« On fait l'amour le vendredi, comme ça le samedi, je peux regarder Grey's Anatomy. *»*

« Bon, d'accord, mais vite alors ! »

Les auteurs, dans leur grande générosité, ont pensé à joindre des bons à découper « pour une dispense de rapport sexuel » à adresser à votre compagnon, les soirs de diffusion de votre série préférée.

BON POUR UNE DISPENSE
DE RAPPORT SEXUEL

*Ce bon est valable dès aujourd'hui
et ce jusqu'à demain matin.
Il dispense de rapport sexuel la personne
porteuse de ce bon.*

BON POUR UNE DISPENSE
DE RAPPORT SEXUEL

*Ce bon est valable dès aujourd'hui
et ce jusqu'à demain matin.
Il dispense de rapport sexuel la personne
porteuse de ce bon.*

BON POUR UNE DISPENSE
DE RAPPORT SEXUEL

*Ce bon est valable dès aujourd'hui
et ce jusqu'à demain matin.
Il dispense de rapport sexuel la personne
porteuse de ce bon.*

BON POUR UNE DISPENSE
DE RAPPORT SEXUEL

*Ce bon est valable dès aujourd'hui
et ce jusqu'à demain matin.
Il dispense de rapport sexuel la personne
porteuse de ce bon.*

BON POUR UNE DISPENSE
DE RAPPORT SEXUEL

*Ce bon est valable dès aujourd'hui
et ce jusqu'à demain matin.
Il dispense de rapport sexuel la personne
porteuse de ce bon.*

BON POUR UNE DISPENSE
DE RAPPORT SEXUEL

*Ce bon est valable dès aujourd'hui
et ce jusqu'à demain matin.
Il dispense de rapport sexuel la personne
porteuse de ce bon.*

Règle n° 26

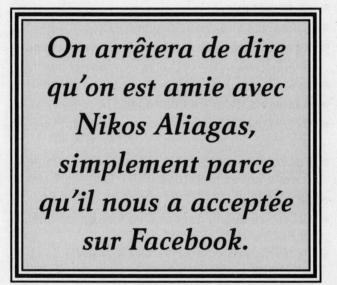

On arrêtera de dire qu'on est amie avec Nikos Aliagas, simplement parce qu'il nous a acceptée sur Facebook.

Liste des questions à ne pas poser si vous ne voulez pas entendre les réponses

- **Elle est mieux que moi Sandrine ?**
- J'ai grossi ?
- **Je te manque ?**
- Tu trouves que ça me boudine ?
- **Tu as couché avec combien de femmes avant moi ?**
- Tu la trouves sexy, toi, Scarlett Johansson ?
- **À ton avis, ça m'irait en rousse ?**
- Tu aimerais que je me fasse augmenter la poitrine ?
- **Tu préfères une femme belle et idiote ou une femme laide et intelligente ?**
- Tu continues de te masturber ?
- **Qu'est-ce que tu penses d'un vieux avec une petite jeune ?**
- Est-ce que ça t'est déjà arrivé de penser à une autre femme en me faisant l'amour ?
- **Vous avez fait quoi exactement à Barcelone pour l'enterrement de vie de garçon d'Alex* ?**
- Tu crois que tous les deux c'est pour la vie ? (Surtout s'il s'agit d'un G.O. du Club Med.)

---

* Cf. le chapitre « Comment humilier publiquement une amie ? », p. 76.

Oups ! J'ai trompé mon mec

On connaît tous l'adage : « Sucer, c'est tromper ! »
Mais ce qu'on ignore, c'est qu'en matière de tromperie, il existe un vide juridique.

Ce n'est pas tromper quand :
- **C'est en vacances**
- **C'est avec une fille**
- **C'est avec un garçon qui a un prénom qui finit par *o* (Diego, Pablo, Roberto...)**

Libre à vous de continuer cette liste en vous inspirant de vos expériences personnelles.

....
....
....
....
....
....
....
....
....

Comment savoir qu'il va nous quitter

« J'ai rien vu venir ! »

Qui n'a jamais dit ou entendu cette phrase ?!

Mais soyons honnêtes, parfois les signes étaient là !!

- Il pleure en faisant l'amour.
- **Il nous appelle en disant : « Eh ! toi là-bas ! »**
- Il a enlevé le « en couple » sur Facebook, parce que selon lui « ça ne regarde personne ! C'est notre vie privée ».
- **Il nous appelait « Bijou », il nous appelle « Bouboule ».**
- Il n'a pas répondu à nos 47 derniers textos.
- **Il nous serre la main pour nous dire bonjour.**
- Il a changé de numéro de téléphone.
- **Quand il parle de nous, il dit « ma coloc ».**
- Toutes ses affaires disparaissent petit à petit de l'appartement et il a enlevé son nom de la boîte aux lettres.
- **Il tient à récupérer la bague qu'il nous a offerte.**
- Il a demandé à ce qu'on lui rende ses clés.
- **Il insiste pour remettre des capotes.**
- Il nous a présenté sa nouvelle copine.

Règle n° 27

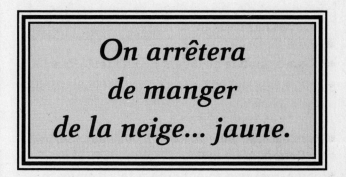

*On arrêtera
de manger
de la neige... jaune.*

Hurt me once, shame on you !
Hurt me twice, shame on me !

Vieil adage qui signifie « Fais-moi mal une fois, honte à toi ! Fais-moi mal deux fois, honte à moi ! »

**Autrement dit, un accident, ça peut arriver...
Un, mais pas deux !**

Rappelez-vous ce commandement, ça vous fera gagner beaucoup de temps et surtout, c'est déclinable à souhait :

Baise-moi mal une fois, honte à toi, baise-moi mal deux fois, honte à moi !

Trompe-moi une fois, honte à toi, trompe-moi deux fois, honte à moi !

Fais-moi rater ma série préférée une fois, honte à toi, fais-moi rater ma série préférée deux fois, honte à moi !

Règle n° 28

On évitera de vouloir se faire une jupe en carpaccio parce qu'on l'a vue sur Lady Gaga.

Exemples de textos de rupture

Le classique

> C'est pas toi c'est moi...

La charade

> Mon premier est la première lettre de l'alphabet, mon deuxième est le papa de Jésus, et mon tout est le dernier mot que je te dirai.

Le coquin

> Devine qui va se faire plaquer ?

Le comique ringard

> C'est l'histoire d'un mec qui va se faire plaquer...

Le taquin

> Tu vas rire... J'te quitte !

Le maladroit
(vous vous appelez Amélie)

> Léa, je te quitte !

Le régional

> utzi dut

L'international **Fuck You**

Le gnangnan... **Prends soin de toi**

... et son équivalent américain **Take care**

Le « Je te garde sous le coude » **On fait un break**

Le faux cul **Je ne te mérite pas**

Le Star Wars **C'est fini car... je suis ton père**

Le Terminator **C'est fini but I'll be back**

Le Lara Fabian **Tout, tout, tout est fini entre nous**

Le geek **Game over !**

Oups ! Je suis cocue !

Nous vous épargnerons les statistiques (qui sont d'ailleurs inexistantes).

Mais en étant un peu lucides, on peut admettre que malheureusement on a toutes été, on est, ou on sera un jour :

COCUE

En être consciente ne veut pas dire l'accepter, libre à vous de passer l'éponge ou pas...

Et c'est fou, parce qu'on a beau être VICTIME de la situation, il y a toujours dans notre entourage une « connasse » pour nous rappeler que :

« Si un mec va voir ailleurs c'est qu'il n'a pas ce qu'il veut à la maison. »

« Tu sais, un homme, ça a des besoins... »

« C'est vrai qu'après ta grossesse, tu t'es un peu laissée aller... »

« En même temps, avec ton boulot, t'es presque jamais à la maison, il a dû se sentir seul. »

« Tu crois que ça a quelque chose à voir avec ta prise de poids ? »

« T'es quand même très focalisée sur tes enfants... Il n'arrive plus à trouver sa place ! »

« Bon... Je t'avoue qu'on avait tous des doutes ! On en parlait d'ailleurs assez souvent entre nous... »

Nous n'ignorons pas les réactions suscitées par la lecture de ces quelques lignes, mais soyez indulgente vis-à-vis de la « connasse »... Elle sera sûrement un jour à notre place*****.

---

* Et on s'en réjouit, hihi !

Règle n° 29

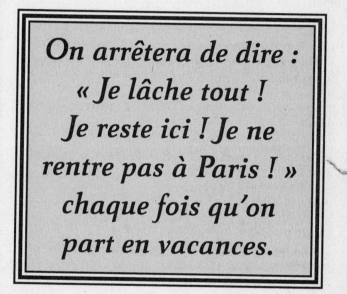

On arrêtera de dire :
« Je lâche tout !
Je reste ici ! Je ne
rentre pas à Paris ! »
chaque fois qu'on
part en vacances.

Rupture : les 7 phases du deuil

Une rupture est toujours un moment douloureux. Qu'y a-t-il de plus tragique que la perte de l'être aimé ? Et même si nous avons toutes l'impression que « nous c'est différent... » ou que « les autres ne peuvent pas comprendre ! ».

Ou encore qu'« on ne retombera plus jamais amoureuse, alors ça, plus jamais ! ».

Une chose est sûre, on passe toutes par les mêmes étapes :

La célèbre psychiatre suisse-allemande **Elisabeth Kübler-Ross** a observé 7 phases du deuil.

1. **Le choc**
2. **Le déni**
3. **La colère**
4. **La tristesse**
5. **La résignation**
6. **L'acceptation**
7. **La reconstruction**

Dans un langage plus clair, ça donnerait :

1. **« Oh mon Dieu, Julien m'a quittée !! »**
2. **« En fait, il ne m'a pas vraiment quittée... On fait un break. »**
3. **« Il va me le payer ce Biiiiip ! »**
4. **« Je vais mourirrrrr... »**
5. **« C'est peut-être mieux comme ça... »**
6. **« Tu sais quoi, il m'a rendu service ! »**
7. **« Je viens de m'inscrire sur un site de rencontres. »**

Rupture : nos 7 phases à nous

N'en déplaise à Mme Elisabeth Kübler-Ross, tout ça reste très théorique...

Alors, essayez plutôt nos 7 étapes :

1. L'étape du « Mojito » :

« Les filles ! Ce soir je veux être complètement saoule ! »

2. L'étape du « qu'il voie ce qu'il loupe » :

« Je dois le voir demain, il faut que je sois SU-BLI-ME ! »

3. L'étape de la « vengeance » :

« Je vais coucher avec son pote Paul juste pour l'emmerder ! »

4. L'étape du « gnangan » :

« C'est dingue ! Je me sens totalement en phase avec les chansons de Lara Fabian. »

5. L'étape du « limite pathétique » :

« Je suis allée chez Sephora pour sentir son parfum. »

6. L'étape du « nouveau look pour une nouvelle vie » :

« Je vais me faire blonde ! »

7. L'étape « vacances » :

« Allez les filles ! On part une semaine au Club Med ! »

La loi des ex

« Tu ne convoiteras pas l'ex de ton amie* ! »
Évangile selon Martine.

(La légende dit que cet évangile aurait été perdu lors d'un déménagement.)

Sont donc proscrits les ex de nos copines ainsi que les membres de leur famille jusqu'au troisième degré inclus.

<u>Exceptions</u> :

- Si la fille en question est déjà sortie avec votre ex ou avec un membre de votre famille
- Si la fille en question n'est qu'une « vague connaissance »
- Si la fille en question est une connasse

---

* Convoiter = pécho.

Règle n° 30

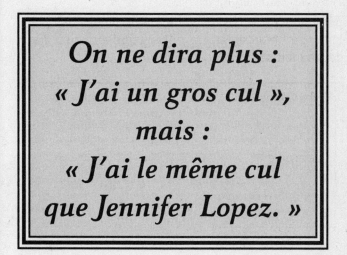

On ne dira plus :
« J'ai un gros cul »,
mais :
« J'ai le même cul
que Jennifer Lopez. »

Remerciements

Aux Woo girls d'abord, à Céline, Prunes, Audrey et Gaëtane pour leur amitié, à Benj, Arek, Raph et Fanny, aux membres du « Connasse Comedy Club », Christine Berrou*, Bérengère Krief, Nadia Roz et Nicolas Vital, à Nabila pour son soutien, Christophe Absi pour sa confiance, et à toutes celles et tous ceux qui nous ont inspiré ce livre, ils se reconnaîtront !

---

* « Aucun animal n'a été blessé lors de l'écriture de ce livre. »

10155

Composition
FACOMPO
Achevé d'imprimer en Italie
Par 🚂 GRAFICA VENETA
Le 29 novembre 2013
1ᵉʳ dépôt légal dans la collection : janvier 2013
EAN 9782290059487
L21EPLN001365A017

Éditions J'ai lu
87, quai Panhard-et-Levassor, 75013 Paris

Diffusion France et étranger : Flammarion